D0297289
OB Erpe-Mere

De JACHT op de meesterdief

Voor mijn grote held Arthur

Lees ook van Thijs Goverde:

De purperen koningsmantel
De zwijnenkoning
Het teken van de heksenjagers
De ongelofelijke Leonardo
Het witte eiland
Het bloed van de verraders
De wraak van de meesterdief

Meer informatie:
www.uitgeverijholland.nl
www.thijsgoverde.nl

Thijs Goverde

De JACHT op de meesterdief

Uitgeverij Holland – Haarlem

1 EERSTE HOOFDSTUK
waarin ik bij de koning gebracht word

Ik ben geboren in de grootste stad van de wereld. Die stad wordt Duim genoemd en ze ligt zo ver weg, dat je er waarschijnlijk nog nooit van gehoord hebt. En je vrienden ook niet, en je vriendinnen niet en je ouders niet. Zelfs je juf of je meester niet.

Behalve natuurlijk als jullie het boek
'De wraak van de meesterdief' hebben gelezen.
Daarin wordt uitgelegd dat er een werelddeel is
dat Hand heet, omdat het de vorm heeft van een hand.
Het grote schiereiland dat op de duim lijkt,
is één onafzienbaar overweldigende stad.
Een stad zo groot, dat ze geen burgemeester heeft
maar een keizer; de verschillende wijken
hebben graven en baronnen.

Ergens in die geweldige stad is een akelig, ondergronds hol. Een heel diep hol, met talloze gangen. Sommige van die gangen zijn ingestort; andere kunnen ieder moment op je hoofd vallen, als je zo dom bent erdoorheen te lopen. In andere gangen, waar je wel doorheen kunt, liggen stiekeme valkuilen en hekken en klemmen en spiesen. Levensgevaarlijk, voor wie de weg niet kent. Aan het eind van de onderste gang is een grote, grot-achtige zaal. Er hangen toortsen aan de muur en in het licht van die toortsen staat een troon te glimmen als goud. Maar hij is niet van goud; hij is bespijkerd met koperen muntjes, die twee keer per dag worden opgepoetst tot ze goudglimmend glanzen. Boven de troon hangen gordijnen. Niet van zijde of damast, maar van ouwe vodden en raggen.
Want dit is de troon van de koning der bedelaars. Vadsig als een ouwe pad zit hij daar. Zijn huid is grauw, want hij zit de hele dag in zijn zaal en de zon is hij vergeten. Hij

is zo dik, dat hij niet eens uit zijn troon kan komen. Hij heeft vlooien en ziektes en beurse plekken. Dat hebben zijn lakeien allemaal ook en die hebben nog wel ergere dingen bovendien, want alleen de allerzieligste bedelaars mogen lakei van de koning worden. Ze zijn kreupel of getikt of allebei. Ze scharrelen door de zaal en mompelen warrig tegen zichzelf. Of ze zitten zich te krabben, stilletjes in een hoekje. Eigenlijk zijn het waardeloze lakeien. Je hebt er niks aan. Maar de koning houdt ze toch, want wie moet er anders voor hen zorgen?

Op een dag kwam er een oude lakei de zaal binnen. Hij had een bochel; benen had hij niet. Hij zat in een klein houten wagentje op wielen. Met twee prikstokken duwde hij zich naar de troon. Het ging maar langzaam, want de vloer was hobbelig en overal lag rotzooi. Gebroken vaatwerk, lorren, schimmels en broodkorsten.

Hijgend kwam de lakei bij de koning. 'Meh...ajesteit,' zei hij, 'we heh...ebben een geh...evangene.'

'Aha,' zei de koning. Zijn stem klonk krakend als het gekwaak van een kikker. 'Breng hem binnen.'

Vier graatmagere bedelaars sleurden de gevangene naar binnen. Het was een knappe jonge man, met glanzend gouden krullen en een intelligent gezicht. Hij zag er sterk en gezond uit. En hij zag er niet alleen zo uit, hij was het ook. Beresterk en zo gezond als een vis. Ik kan dat weten, want ik was het zelf.

Vol walging keek ik om me heen. Het was nog maar een maand geleden dat ik de rijkste baron van Duim was, ik was gewend aan luxe en lichtjes en schittering, aan alles wat prachtig en zacht was. Daar wordt een mens gevoelig van. De smerigheid, de stank en de lelijkheid in dit hol deden pijn aan mijn ogen, mijn neus en mijn oren. Het liefst

had ik de hele boel in de fik gestoken, met alles en iedereen
erin. Maar dat kon ik niet.
Want ik was vastgebonden, en achter mij liep Hop de Krukkenman. Hop de Krukkenman was een grote, gespierde bedelaar en hij was de belangrijkste dienaar van de Bedelkoning. Met twee grote krukken strompelde hij elke dag door
de straten van de stad. Maar hij had ze helemaal niet nodig,
die krukken. Hij was niet kreupel of ziek. In de krukken zaten zwaarden verborgen en daarmee kon hij vechten als een
dolle tijger. Zo zorgde hij dat alle bedelaars gehoorzaamden
aan de wet van hun koning.

Die wet was eigenlijk heel simpel:
alle bedelaars moeten alles wat ze van de mensen krijgen,
aan de Bedelkoning geven.
Het meeste hield de koning zelf, en daarvan at hij zich vet.
Een groot deel gaf hij aan zijn lakeien,
en aan kerels zoals Hop de Krukkenman.
De rest verdeelde hij min of meer eerlijk onder de bedelaars.
Die kregen dus veel minder terug dan ze hadden ingeleverd.
Dat lijkt misschien oneerlijk,
maar de bedelaars vonden het heerlijk
om een koning te hebben. Want het was een geheime koning.
En als een bedelaar staat te bedelen,
en de rijkaards kijken hem aan met vieze gezichten
en zuinige mondjes, dan kan hij denken:
Ik weet lekker iets wat jij niet weet, mooie meneer!
En dat maakt veel goed.

'Aha,' bralde de koning. 'Daar hebben we onze gevangene. Wat heeft hij gedaan?'
'Hij heeft gebedeld, heer koning,' zei een lakei. 'Maar hij hoort niet bij ons.'
De koning schudde zijn dikke wangen. 'Gruw,' huiverde hij, 'oh gruw, hoort hij niet bij ons? En volgt hij de wet niet?'
'Nee, heer koning. Hij geeft zijn aalmoezen niet af.'
'Oh gruw,' herhaalde de koning. 'Zeg kerel, weet gij niet dat alle bedelaars onze onderdanen zijn? En dat zij allen de wet moeten volgen? Anders moeten wij hen, tot onze grote droefenis, in stukken laten kerven door Hop de Krukkenman.'
'Wees niet bang, majesteit,' zei ik met een beleefde buiging. 'Dat kerven zal niet nodig zijn. Want ik ben geen bedelaar, maar een baron.'
'Een baron? Hoe hebben wij het nu?' De koning leunde naar voren, één en al oor, maar Hop de Krukkenman spoog op de grond en grauwde: 'Baron? Me dikke hoela, majesteit. Die kerel is net zomin baron als ik. Hij liep om eten te bedelen.'
'Mag ik het misschien uitleggen?' vroeg ik beleefd.
'Legt u maar, heerschap,' sprak de koning minzaam. 'Legt u toch vooral.'
'Luister goed, majesteit. Ik zal proberen het snel te vertellen, ook al is het een lang verhaal. Het begint bij mijn vierde levensjaar, toen ik werd gestolen door een kinderdief. Die bracht mij bij de dievenbende van de verschrikkelijke meester Jynx. Een vieze, gemene oude man is dat, die kinderen voor zich laat stelen. Bij zijn bende zat een jongetje dat erg op mij leek, en dat net zo oud was als ik. Hij heette Ekster, en zijn vader was baron Falco van de Vogelwijk.
Ekster was een geboren dief. Ik niet. Ik moest thuisblijven

om de vloeren te schrobben, terwijl de bende uit stelen ging. Maar op een dag, terwijl iedereen op het dievenpad was, kregen we bezoek. Het waren de soldaten van de baron, die Ekster kwamen redden. Ze dachten dat ik Ekster was. Zo kwam het, dat ik in zijn plaats gered werd.
De soldaten namen mij mee naar het paleis van de baron, en daar werd ik opgevoed tot een echte edelman. Ik had er heel veel talent voor. Ik werd, al zeg ik het zelf, de volmaakte baron.
En zo kwam alles op zijn pootjes terecht. Want mijn vriendje Ekster kreeg ook een mooie toekomst: hij werd de Algapper, de Meesterdief, de Dief der Dieven.
Maar Ekster was niet tevreden met zijn deel. Op een nacht heeft hij me alles afgestolen. Paleis, bedienden, tuinen, soldaten, goud, zelfs de barones die als een moeder voor me was; nu heb ik niets meer.'
'Welk een merkwaardige diefstal,' zei de koning verwonderd.
'Inderdaad, uwe hoogheid. Ekster is echt de Algapper, er is niets wat hij niet stelen kan. Maar ik krijg hem nog wel. Ik ben naar hem op zoek, en als ik hem vind zal ik hem afranselen tot hij zijn kop niet meer van zijn kont kan onderscheiden. Ik wil wraak. Maar wraak is duur, en ik heb geen rooie cent meer. Daarom vraag ik af en toe om een beetje geld.'
De koning knikte bedachtzaam. 'Beste man,' sprak hij, 'wij zijn ontroerd en verheugd. Dit is het beste bedelverhaal dat wij in jaren hebben gehoord.'
'Het is geen verhaal,' zei ik verontwaardigd. 'Het is echt waar!'
'Zeker, zeker,' de koning wuifde ongeduldig met zijn hand. 'Maar of het waar is of niet, doet er niet toe. Het gaat erom

dat de mensen u geld geven, nietwaar? En dat doen zij, of wij moeten ons gruwzaam vergissen. Komaan - geven zij geld? U moogt eerlijk tegen ons zijn. Zij geven u geld, goudgeld durven wij te wedden, geen koperen rommel, noch zilver. Hmm? Ach, zwijgt u maar, ik zie in uw ogen dat ik gelijk heb.'

Ik bloosde. Hij had het goed gezien. Hoe dik en beurs en walgelijk hij er ook uitzag, hij was sluw en hij kende de mensen.

'Welaan dan, heerschap, wij hebben goed nieuws voor u. U mag bedelaar worden, en al uw geld aan ons geven.'

'Ja, maar... als ik dat nou niet wil?'

'Ach, dat zou droevig zijn! Dan zou u in stukken gekerfd worden!'

'Reken maar,' zei Hop de Krukkenman, en hij liet zijn beide zwaarden dansen door de lucht.

Ik maakte een zeer beleefde buiging. 'In dat geval,' zei ik, 'zal het mij een eer zijn om uw onderdaan te worden, koning.'

'Dat doet ons genoegen,' kwaakte de koning. 'Welkom in de rangen der bedelaars, beste vrind! Hop, verlies deze man niet uit het oog!'

Ik boog opnieuw, en zweeg.

Zo werd ik, die baron was geweest, een bedelaar. En als bedelaar zou ik al snel een wonderlijke ontdekking doen.

2 TWEEDE HOOFDSTUK
waarin ik een bedelaar word

Het wonderlijke ding, dat ik ontdekte, was mijn grote talent voor het bedelen. Wat is daar zo wonderlijk aan, vraag je je waarschijnlijk af. Die Ekster had een talent voor het stelen - wat is er dan raar aan een bedeltalent?
Welnu, wat er raar aan was, is dit: ik hoefde mijn talent niet meer te oefenen. Ik kon alles al! En dat is zeer, zeer zeldzaam - zo niet onmogelijk. Ekster, de Algapper, had jarenlang les gehad van de afschuwelijke meester Jynx. En mijn eigen grote gaven als baron bloeiden pas op toen ik les had gekregen van de beste leraren van heel Duim, te weten de geleerde Aegolius en generaal Hendrik Houwdegen. Alle talenten moet je oefenen, ook de grootste.

Ik heb een man gekend, Thrasimon geheten,
die voor letterlijk alles talent had. Schaken, dammen, dansen,
schieten, spelen op luit, fluit en klavecimbel, zeezeilen,
kantklossen, oplichten, verduisteren, advocatuur -
je noemt het maar op en hij had er
een absolute grootmeester in kunnen worden.
Hij werd daarom wel eens
Thrasimon het Totaal-Talent genoemd.
Maar er was één ding dat hij niet kon, en dat was: kiezen.
Hij oefende eerst een jaar op de luit,
stapte over op de fluit, legde zich na een half jaar fluiten
opeens toe op het kantklossen,
stapte over naar de geneeskunde,
wierp zich op de tulpenteelt, enzovoort.
En dat zijn hele leven lang.
Toen hij stierf, zevenennegentig jaar oud,
had hij in zijn hele leven niets bijzonders gepresteerd.
Zijn laatste woorden waren: 'Ach, had ik maar minder
gekund! Dan had ik vast meer gedaan!'

Ik was scherpzinnig genoeg om de verklaring voor het raadsel te vinden. Die was in feite vrij simpel: ik had al een goede bedelaarsopleiding gehad. Want een bedelaar, ontdekte ik, moet hetzelfde leren als een baron.
Een baron moet van alles kunnen: zwaardvechten, dansen, schieten met pistool en musket, jagen, drinken en al dat soort dingen meer. Maar een baron moet vooral goede manieren hebben. Aan de beleefdheid kent men de baron.

En het eerste wat ik als bedelaar ontdekte, is dat beleefde bedelaars veel meer geld van de mensen krijgen dan onbeleefde. Dat is zielig voor de bedelaars die niet beleefd kunnen zijn, (bijvoorbeeld omdat ze niet goed opgevoed zijn, of in de war, of dronken). Maar het is gewoon niet anders. Bij beleefdheid gaat het erom, dat je tegen de mensen zegt wat ze willen horen. Je moet altijd zeggen: 'Ik hoop dat u een fijne dag hebt,' ook tegen iemand aan wie je zo'n hekel hebt, dat je stiekem hoopt dat hij een afschuwelijke dag heeft en daarna dood neervalt.
Toevallig was ik erg goed in dat soort dingen. Zelfs onder baronnen had ik mijn gelijke niet. Ik wist dan ook precies wat ik tegen de mensen moest zeggen, om geld van hen te krijgen. Tegen eenzame oude dames zei ik: 'Mag ik wat geld van u? Dan kan ik bloemen kopen voor op het graf van mijn oude moedertje.' En tegen jongedames, wier ogen droomden van de liefde: 'Ach juffrouw! U doet mij denken aan mijn allerliefste, die helaas door haar gemene vader naar de andere kant van de stad is gestuurd, zodat ik niet met haar kan trouwen. Ach, had ik maar een beetje geld, dan zou ik haar achterna reizen. Dan kwam er toch nog een huwelijk van.'
Tegen drinkebroers lalde ik, alsof ik dronken was: 'Hee makker - hik! Geef m'n es een duit, dan kan ik - hik - een biertje kopen.' Ik had praatjes voor brave huisvaders, voor dikke pastoors, voor straatrovers en noem maar op - ik wist zelfs geld los te troggelen van mijn medebedelaars.
Na een tijdje hoorde ik ze fluisteren, als ik op straat liep. Onder bruggen, in portieken, op winderige straathoeken bogen kreupele kerels, gekleed in vodden, zich naar elkaar toe en fluisterden: 'Daar gaat de beste bedelaar van de stad.' Inderdaad kreeg ik koperstukjes met kilo's tegelijk en zil-

verstukken met ponden. Om nog te zwijgen van de handenvol met goudstukken. Maar tevreden was ik niet. Want in mijn hart was ik nog steeds baron Falco van de Vogelwijk, een van de grote edelen van Duim. En edelen willen niet bedelen; dat is niet deftig. Zelfs niet als je de beste bent. Ik vond het een vernedering, en als ik Ekster ooit in mijn handen kreeg, zou ik 't hem tien keer betaald zetten. Woede brandde in mij als een vuur in de haard; 's nachts lag ik wakker en dan dacht ik dat ik het hoorde knetteren. Maar misschien was dat gewoon het knarsen van mijn tanden.
Elke ochtend ging ik uit bedelen, en na twee uur zaten mijn zakken zo vol met geld, dat ik geen stap kon verzetten zonder gerinkel en gerammel. Dat leek natuurlijk nergens naar. Aan een bedelaar die zoveel geld heeft, dat hij het nauwelijks dragen kan, geef je geen geld meer. Dus riep Hop de Krukkenman een bedelaar en zei: 'Hier, breng deze poen naar de koning. En probeer maar niet iets voor jezelf te houwen, want ik heb het geteld. Tot de laatste halve duit, begrepen?'
'Ja Hop,' zei de bedelaar bevend, want ze waren allemaal doodsbang voor hem. Zo kwam al mijn geld in handen van de koning der bedelaars. Het meeste hield hij voor zichzelf, maar ik mocht iedere dag één goudstuk houden. Een goudstuk per dag - daar kun je een leuk huis voor huren en ook nog heel lekker eten kopen, dat wel. Maar het was niet genoeg voor de luxe waar ik, als baron, recht op had. Vroeger was ik gewend om elke dag wel honderd goudstukken op te maken en het beviel me niks dat ik het nu wat kalmer aan moest doen.
Bovendien wilde ik helemaal niet in een leuk huis wonen en lekker eten. Ik wilde op weg naar de Grote Detective. Die beroemde speurder was de enige die mijn trouweloze

vriend Ekster kon vinden. En het paleis dat hij van me gestolen had, en mijn moeder, mijn lakeien, mijn leraren, mijn soldaten en mijn ongelooflijke paard Gierzwaluw. Ja, met hulp van de GD zou ik alles weer terugkrijgen!
Ik was dus niet van plan om lang bedelaar te blijven. Maar Hop de Krukkenman hield me scherp in de gaten. Als ik op straat stond te bedelen stond hij om een hoekje naar me te loeren. Als ik naar de winkel liep, hobbelde hij vlak achter me aan. Zat ik in mijn leuke huis, aan mijn gezellige tafel, dan zat hij tegenover me. Hij sliep op de grond voor de deur, zodat ik 's nachts niet naar buiten kon glippen. Zelfs als ik in de struiken zat te poepen, dan draaide hij om het struikgewas heen als een hond om een bot. Er was geen ontsnappen aan.
Ik ben, dat heb ik geloof ik al verteld, behoorlijk sterk. Ook kan ik buitengewoon goed zwaardvechten. Maar Hop was óók sterk. En hij kon óók goed zwaardvechten. En het belangrijkste was: hij had twee zwaarden. En ik had er nul. Mijn kracht zou me dus niet helpen; ik moest iets slims verzinnen.
Op een avond, toen we aan mijn gezellige tafel mijn lekkere eten zaten op te eten, zei ik: 'Beste man, ik verdien veel geld met bedelen. Heel veel geld. Waar of niet?'
'Ja,' zei Hop.
'Zou jij daar niet de helft van willen hebben?'
'Nee,' zei Hop tot mijn verbijstering. Toen hij zag hoe verbaasd ik was, lachte hij me uit, recht in m'n gezicht. 'Ik heb jou in de smiezen, baronnetje,' gromde hij. 'Jij hoopt dat ik, in ruil voor een beetje poen, een oogje dicht zal knijpen, zodat jij kunt ontsnappen.'
'Nee nee,' protesteerde ik, 'dat was ik helemaal niet van plan.'
'Dat was je wel,' zei Hop, want hij was niet dom en had me

inderdaad in de smiezen. 'Maar het zal je niet lukken. Ik blijf mijn koning trouw tot in de dood. Toevallig.'

Hop was de trouwste dienaar die er bestond,
omdat de koning ooit zijn leven had gered.
Hop was, toen hij nog maar een kind was,
in een kanaal gevallen. Hij zou zijn verdronken,
als de koning hem er niet had uitgehaald.
Sindsdien deed Hop alles wat de koning zei, uit dankbaarheid.
Hop heeft nooit geweten dat het de koning was geweest,
die hem dat kanaal had ingeduwd.
Dit is een heel slimme truc om aan trouwe dienaren te komen.
Ik heb het zelf ook een aantal keren gedaan
en het werkt altijd weer.
Ik kan het iedereen aanbevelen.

'Heel goed,' zei ik zoetjes. 'Er is niets mooiers in het leven dan de trouw van een vriend. Ik ben blij, dat jij zo'n nobel mens bent.'
Op dat moment vloog er een steen door het raam van de eetkamer. Glassplinters vlogen overal in het rond, gordijnen scheurden, de steen plonsde in de porseleinen soepterrine, scherven kletterden over tafel, soep spatte in onze gezichten, kandelaars vielen om. Door de resten van het raam waren vlammende toortsen te zien, en een ruwe stem riep: 'Kom naar buiten, Hop! Jou willen we geen kwaad doen! Maar dit huis gaat in de fik, met die mooie baron erbij!'

3 DERDE HOOFDSTUK
waarin ik een weldoener word

Ik nam mijn servet, veegde de soep van mijn gezicht en liep naar het raam. Buiten stond een hele massa volk. Morsige kerels in lompen en vodden. Vrouwen met bulten in hun gezicht, die stonken naar afval en ziekte. Kinderen met blote voeten en hongerogen.
Kortom, ik kreeg bezoek van mijn collega-bedelaars.
Maar het was geen vriendelijk bezoek.
Ze hadden stokken en stenen in de hand, en brandende fakkels. Hier en daar werd het toortslicht weerkaatst door het staal van een blikkerend mes.
'Grijp 'm, jongens,' riep een tandeloze bedelaar, die helemaal achteraan stond. 'Leer die mooie meneer maar 's een lesje.'
'Graaier!' gilde een oud wijf, en 'Snaaier!' krijste haar zus.
Ik fronste heel lichtjes mijn voorhoofd, zodat mijn rechter wenkbrauw een piepklein eindje omhoog ging.

De jonge edelen van Duim vonden
het vreselijk ouderwets om hun gevoelens te laten zien.
Onze ouders en grootouders konden nog
sterven van woede of schaamte,
maar bij ons was dat niet langer in de mode.
Wij trokken onze rechter wenkbrauw iets omhoog
- dat was alles. Tegenwoordig doet iedere edelman,
oud of jong, aan deze mode mee.
Over baron Walther van Brulburg gaat het verhaal dat hij,
toen zijn eigen vrouw het kasteel in brand stak en
ervandoor ging om met de tuinman te trouwen,
niet één maar twéé wenkbrauwen omhoog trok.
Sindsdien wordt hij door de andere edelen beschouwd
als een onberekenbare woesteling.

'Goede avond, beste lieden,' zei ik met een welwillend knikje. 'Wat kan ik voor u doen?'
'Geld,' brulden de bedelaars. 'We willen je geld, smeerlap!'
'Natuurlijk willen jullie dat,' zei ik onverstoorbaar. 'Daar zijn jullie bedelaars voor. Maar jullie moeten het beleefder vragen hoor, dan krijg je meer.'
'Geef ons je poen, kwal die je bent!' spoog een dronken dikzak.
'Hmmm,' peinsde ik. 'Nee, dit was nog steeds niet erg beleefd. Maar blijf het vooral proberen.'
'U bent een dief!' riep een zielig meisje.
'Nee,' zei ik ernstig. 'Een dief ben ik niet. Heb ik soms iets gestolen van een van jullie?'

'Ja,' antwoordde het meisje, 'onze klanten.' Ik keek haar vragend aan.
'Niemand geeft ons meer geld,' legde het meisje uit.
Het oude wijf snauwde: 'De mensen geven hun geld aan iemand anders.'
'Aan jou, namelijk,' vulde haar zus dreigend aan.
'En daarom gaan we hem in mekaar slaan, hè jongens?' riep de tandeloze, die achteraan stond, enthousiast.
Dat plan beviel me niet. Ik schraapte mijn keel, keek de menigte doordringend aan en zei: 'Dames en heren, ik moet u teleurstellen. *Ik heb helemaal geen geld.* Ik verdien wel veel met bedelen, maar dat gaat allemaal naar de koning. Zo is de wet, nietwaar? Dat de koning het niet eerlijk verdeelt onder jullie, zijn onderdanen, dat is mijn schuld niet.'
De menigte aarzelde. Ten slotte zei het zielige meisje: 'Eerlijk gezegd geloof ik dat hij gelijk heeft.'
'Nou en?' riep de tandeloze. 'Dan kunnen we hem toch nog steeds in mekaar slaan?'
Ik sprong het raam uit en greep met mijn rechterhand een kleine kersenboom, die in mijn voortuintje groeide. Achteloos trok ik de stam, die twee keer zo dik was als mijn onderarm, met wortel en al uit de grond.
'Kom maar op,' zei ik eenvoudig.
Opeens had de meute geen zin meer in vechten. Ze draaiden zich om en gingen op weg om tegen de koning te schreeuwen. Zeer tegen de zin van de tandeloze, want die liep nu opeens voorop.
Ik zette mijn kersenboom tegen de muur, ging terug naar binnen en zei tegen Hop: 'Wat een bende druktemakers was dat. Gelukkig zijn ze nu weg. Ze gaan de koning zijn geld afpakken, geloof ik...'
Hop verbleekte. 'Mijn meester is in gevaar!' brulde hij.

'In groot gevaar,' knikte ik.
'Ik moet hem redden!' Hop greep zijn zwaarden en holde de deur uit. Ik bleef moederziel alleen achter.
Dit was mijn kans. Ik grabbelde haastig mijn geld bij elkaar en graaide een gebraden kip van tafel. Eindelijk ontsnapt aan Hop de Krukkenman!
Ik vloog de deur uit. Ik wilde zo snel en zo ver mogelijk weg.
Maar ik had nog geen twee straten gelopen, toen ik het zielige bedelmeisje op een stoepje zag zitten.
'Wat is er?' vroeg ik wantrouwend. 'Waarom zijn jullie niet op weg naar de koning?'
'De rest is wel op weg,' zei het meisje, 'maar ik ben te moe, en ik heb teveel honger.'
Ze was werkelijk heel zielig, met magere wangetjes en grote droevige ogen. Ze was vuil, haar kleren waren stuk en ze rilde van de kou. Haar haren zaten vol klitten. Alles aan haar was ellendig en stuk. Ze deed me denken aan vroeger, aan de tijd dat ik leerling was in de dievenbende. Natuurlijk was ik er toen veel erger aan toe, maar toch had ik medelijden met het kind.
'Wil je een stuk van mijn kip?' vroeg ik. Maar het meisje was veel te verstandig om zomaar eten aan te nemen van een vreemde meneer.
'Ben je soms bang dat er gif op zit? Of een slaapmiddel? Dat ik een kinderdief ben, of zo?'
Het meisje knikte. Ik moest de halve kip zelf opeten, voordat ze ervan durfde proeven.
Ik nam haar mee naar een herberg, waar ze een bad kon nemen en in een warm bed kon slapen. Voorzichtig liep ze achter me aan, en in de herberg wilde ze een eigen kamer. Dat kwam mij prima uit, want ze stonk.

'Neem maar een lang, warm bad,' zei ik, en ik ging op pad om nieuwe kleren voor haar te kopen. Ik kocht een eenvoudig, zwart jurkje met een wit schortje. Precies het goede jurkje voor een dienstmeisje. Want ik had allang gezien dat het meisje grote oren had, die een klein beetje flapperig van haar hoofd af stonden.

Volgens de geleerde Aegolius kan men
aan de gezichten van de mensen hun talent aflezen.
Zo zijn mensen met grote flaporen erg geschikt als bediende,
want bedienden moeten goed kunnen luisteren.
Ik heb eens een ober gekend die werkelijk gigantische oren had.
Hij was inderdaad erg goed in zijn werk:
hij kwam het eten al opdienen,
voordat je zelf wist wat je wilde bestellen.
Hij beweerde dat hij de mensen kon horen denken.
Toch werd hij in alle restaurants ontslagen.
Zijn oren waren te groot. Als hij door de eetzaal liep,
sleepten ze over de tafels van de gasten zodat kandelaars,
wijnglazen en soms zelfs hele soepterrines omvielen.
Ooit vroeg ik aan de geleerde Aegolius:
'En mijn gezicht, meester? Wat kunt u daaraan aflezen?'
'In uw gezicht,' sprak de geleerde, 'valt de tong het meest op.
Het is een beweeglijke tong,
uitermate geschikt om mee te liegen.'
Dat was natuurlijk onzin, want ik vind liegen verachtelijk
en slecht en ik doe het dan ook nooit.
Maar verder heeft Aegolius altijd gelijk.

De volgende morgen namen we een stevig ontbijt en we gingen op weg, mijn nieuwe dienstmeisje en ik.
Haar naam was Merula, en ze was slim van hoofd en goed van hart. Ze was zo dankbaar voor mijn goede zorgen dat ze gratis mijn dienstmeisje wilde worden, maar ik stond erop haar een fatsoenlijk loon te betalen.
We reisden van herberg naar herberg, en ik zorgde ervoor dat Merula goed te eten kreeg en veel sliep. Na twee weken leek ze helemaal niet meer op het vieze bedelkind van vroeger. Alleen haar ogen waren nog droevig, want verdriet spoel je minder makkelijk af dan modder.
En ik had nog een nieuwe, droevige mededeling voor haar. 'Merula,' zei ik, 'mijn geld is op. En ik kan niet opnieuw gaan bedelen, want dan krijgt de Bedelkoning het zeker te horen en dan komt Hop achter ons aan. Ik weet werkelijk niet, wat ik nu moet doen.'
Nu bleek voor de eerste keer hoe ongelooflijk slim mijn brave Merula was. Ze wist onmiddellijk een oplossing. Iets waar ik zelf nooit-van-z'n-leven opgekomen zou zijn.

4 VIERDE HOOFDSTUK
waarin ik politieman word

'Zouden we niet gewoon een baantje kunnen zoeken?' vroeg Merula.
'Een wàt?' vroeg ik verbijsterd.
'Een baantje. Werk. Ik heb gehoord dat je daar geld mee kunt verdienen.'
Ja, zoiets had ik ook wel eens gehoord. Van meester Jynx, die geprobeerd had mij op te leiden tot dief. Wanneer hij ontevreden was over een leerling, zei hij wel eens: 'Doe eens wat beter je best! Of wil je later soms gaan *werken* voor je geld?' En later, toen ik werd opgeleid tot baron, werd me verteld dat al mijn onderdanen baantjes moesten hebben om belasting aan mij te kunnen betalen.
Kortom: ik wist wel dat er baantjes bestonden, en dat je daar geld mee kon verdienen - maar dat *ik* zo'n ding zou kunnen

hebben, daar had ik nooit bij stilgestaan. Ik moest er lang en diep over nadenken.
'Nee,' zei ik na een poos. 'Een baantje, dat zal niet gaan. Want dan moet je elke dag naar je werk en daar heb ik helemaal geen tijd voor. Ik moet Ekster zoeken, de Dief der Dieven, om terug te pakken wat hij van me gestolen heeft. Dat is al moeilijk genoeg. Een baantje, dat kan ik er echt niet bij hebben.'
'En als u nou een baantje vond waarbij je dieven kunt vangen? Bij de politie of zo?'
Ik was zo verrast dat mijn rechterwenkbrauw een eindje omhoog ging. 'Merula,' zei ik, 'je bent slimmer dan ik dacht. Dat is precies het soort baantje voor mij.'
Diezelfde middag ging ik naar het dichtstbijzijnde politiebureau, en ik liet mij aandienen bij de commissaris. De commissaris was een grijze man met waterige oogjes en de meest formidabele puntsnor die ik ooit heb gezien.

De punten van deze snor wezen recht opzij, en ze waren zo gekruld als een kurkentrekker.
Ze waren ook net zo stevig, en net zo scherp.
In feite gebruikte de commissaris zijn snor om de flessen met brandewijn, die hij stiekem in zijn bureau verborgen hield, te ontkurken. Hij wilde geen kurkentrekker in zijn kantoortje laten rondslingeren, want zijn mannen mochten niet weten dat hij brandewijntjes dronk.
Helaas werd hij echter van het drinken zo verstrooid dat hij, na de tweede fles, de kurken gewoon aan zijn snor liet zitten.

‘Wat kan ik voor u doen?’ vroeg hij.
Ik boog beleefd en zei: ‘Ik zoek een baantje. Bij voorkeur iets waarbij ik dieven kan vangen.’
‘Dat treft,’ bromde de commissaris. ‘Want wij vangen hier dieven. Maar ’t is moeilijk werk, hoor. Heb je het al eens eerder gedaan?’
‘Nee,’ moest ik toegeven. ‘Maar ik ben slim en sterk, dus ik zal het snel onder de knie hebben.’
Hij keek me duister aan. Alsof hij me niet geloofde. Dat vond ik een belediging, want ik vertel nooit leugens dus mensen moeten mij altijd geloven. Met één hand tilde ik de commissaris met stoel en al van de grond en kwakte hem op zijn bureau. Daarna hief ik ook het bureau boven mijn hoofd.
‘Sterk ben je in ieder geval,’ piepte de commissaris. ‘Je krijgt je baantje, hoor. Zet me nu maar weer neer. Voorzichtig met het bureau, d’r zitten breekbare spullen in.’
Ik kreeg een uniformjas, een politiehelm en een wapenstok.
‘Een stok? Dit is waarschijnlijk een vergissing. Ik ben een van de beste zwaardvechters van Duim, moet u weten. Breng maar eens een sabel, dan zal ik u eens wat laten zien!’
‘Neenee,’ zei de commissaris haastig, ‘ik geloof je meteen. Maar zo zijn de regels: beginnende agenten krijgen een stok. Niets aan te doen. En nu vort met jou. Dieven vangen!’
Even later wandelde ik door de straten. Ik floot een deuntje en liet mijn wapenstok rondjes zwieren. Ondertussen vroeg ik me af hoe je dat in ’s hemelsnaam deed - dieven vangen. Ik besloot naar een marktplein te gaan, want zakkenrollers komen daar graag. Misschien zag ik er eentje een zak rollen. Dan was hij een dief en dan kon ik hem vangen. Een zakkenroller is maar een kruimeldief, natuurlijk, maar een mens moet klein beginnen.
Onzeker keek ik om me heen. Ik was in een wijk die ik niet kende, en ik had geen idee waar hier de marktpleinen

waren. Op dat moment kwam er een dikke meneer op me afgerend.
'Agent! Agent!' riep hij. 'Help! Ik ben bestolen!'
Kijk eens aan, dacht ik. Dat is geluk hebben.
Ik trok een serieus gezicht en zei: 'Dat is heel naar voor u, meneer. Vertelt u eens precies wat er gebeurd is.'
De meneer nam me mee naar zijn winkel. Het was een winkel in glimmers, juwelen en zo, en het was een grote rotzooi want alle kastjes waren stukgeslagen en leeggehaald.
'Dat ziet er niet best uit,' bromde ik. 'Maar wees niet bang, ik zal de boosdoener grijpen. Ik begin meteen,' en ik wilde de deur uit marcheren. Maar de meneer greep me bij de mouw van mijn uniformjasje en hield me tegen.
'Moet u niet wat langer rondkijken? Zoeken met een loep, naar sporen en aanwijzingen?'
'Meneer,' donderde ik, 'u weet het misschien niet, maar ik ben de beste agent van Duim. Ik heb alles, wat van belang is, al lang gezien. *Alles*. Met het blote oog.'
Eigenlijk was het domweg niet in me opgekomen, om naar sporen te zoeken. Ik had trouwens ook helemaal geen idee hoe je dat deed. Maar dat zei ik niet tegen de meneer. Anders zou hij zich misschien zorgen maken over zijn glimmers, en dat zou sneu zijn. Zogenaamd zelfverzekerd stapte ik de winkel uit. De meneer staarde me na. Hij was diep onder de indruk.
Ik bleef lopen tot ik in een arme sloppenbuurt kwam. In zulke buurten wonen veel dieven. De meeste arme mensen zijn eerlijk, dat weet ik heus wel, maar het overgrote deel van de dieven is arm. Het duurde dan ook niet lang of ik zag een kerel met een gemeen, diefachtig gezicht. Hij werd een beetje zenuwachtig toen hij mij ontwaarde, en dat was een belangrijke aanwijzing. Dieven worden zenuwachtig van agenten, dat weet iedereen. Kranig stapte ik op de

schurk af en greep hem bij zijn kraag.
'Je bent erbij,' zei ik streng. 'Ik arresteer je wegens diefstal.'
'Diefstal?' probeerde de man. 'Ik weet van geen diefstal.'
'Werkelijk niet? Denkt u nog eens goed na, alstublieft...'
Terwijl ik dit zei, brak ik een stuk baksteen uit een muurtje, waar ik toevallig naast stond. Zogenaamd in gedachten verzonken brak ik de baksteen in tweeën. Dat kostte me weinig moeite want ik ben, zoals ik al eerder verteld heb, tamelijk sterk.
De man keek er met grote ogen naar.
'Weet u wat het is?' ging ik verder. 'Ik kan niet tegen leugenaars. Als ik ontdek dat iemand tegen me gelogen heeft, dan...' Ik kneep met mijn vingers de baksteen tot gruis.
'Ik-ik-ik heb niet gelogen,' beefde de schurk. 'U hebt me gewoon verkeerd verstaan! Ik wilde juist eerlijk vertellen dat ik het was, die de spulletjes van de weduwe Smellekens heeft gestolen.'
'Aha! Fijn dat u het eerlijk zegt. Dat bespaart ons allebei een hoop gedoe.' Ik klopte het steengruis van mijn handen en sleepte de man naar het gevang.
De commissaris kon zijn ogen niet geloven. In minder dan een uur had ik mijn eerste boef gevangen. Het was niet de dief van de glimmerwinkel, maar een boef is een boef en daar moet je niet moeilijk over doen. Anders wordt alles maar ingewikkeld.
Ik besloot hetzelfde trucje meteen nog eens te gebruiken. Vrolijk liep ik naar de sloppenwijk en al snel zag ik een man, die mij een schurk leek. Ik zei dat hij zijn misdaad moest bekennen, zonder leugens of flauwekul, want daar hield ik niet van. Terwijl ik het zei, trapte mijn voet een dikke houten balk in stukken. Hij gaf meteen toe dat hij gestolen had.
Zo ving ik nog twaalf boeven die dag. De volgende dag ging

ik door op dezelfde manier, en na een week had ik zeventig boeven gevangen.

Dat was heel knap van mij, maar het was nog niet de beste prestatie aller tijden. De beste politieprestatie was die van inspecteur Canorus. Die had negen broers, en negentig neven, en negenhonderd achterneven. Zij waren allemaal dieven, want ze kwamen uit een arme en misdadige familie. Canorus wist dus veel van het vak, en dat hielp hem enorm bij zijn politiewerk. Hij begreep precies hoe dieven dachten. Zijn eigen familie arresteerde hij niet, natuurlijk. Maar op de verjaardag van zijn grootmoeder kreeg Canorus ruzie met zijn broers en zijn neven, over wie het grootste stuk appeltaart mocht. De ruzie liep steeds hoger op. Er werd gescholden, er vielen klappen, en het eind van 't liedje was dat Canorus al zijn broers, neven en achterneven in de gevangenis gooide. Dat was de grootste boevenvangst aller tijden. Die van mij kwam op de tweede plaats en dat is, voor iemand zonder grote en misdadige familie, lang niet slecht.

De andere agenten waren reuze jaloers op mij, maar de commissaris zei dat ze niet moesten zeuren, en een voorbeeld aan mij konden nemen. Iedereen dacht dat ik een roemrijke toekomst tegemoet ging bij de politie. Maar korte tijd later kreeg ik een boef te pakken, die een opmerkelijke bekentenis deed.

5 VIJFDE HOOFDSTUK
waarin ik een foute wout word

Het was een overduidelijke jat-rat die ik in mijn handen had. Zijn ogen glommen van de hebberigheid en zijn vingers waren spits en vlug als muizen.

'Ik zie heus wel dat je een dief bent,' gromde ik. 'Geef het maar toe. Anders...' Voor de duidelijkheid ramde ik mijn wapenstok dwars door een eikenhouten schutting.

'Ik beken alles!' gilde de man. 'Ik heb gestolen! Uit het huis van de commissaris!'

'Kijk,' zei ik. 'Dat zal de commissaris leuk vinden om te horen.'

Maar de commissaris was helemaal niet blij.
'Gestolen?' vroeg hij verwonderd. 'Uit mijn huis? Maar daar is helemaal niets verdwenen!'
'Zeg eens,' zei ik tegen de man, 'je hebt toch niet staan liegen, hè?'
'Jawel,' zei de man. 'Ik was bang dat u me pijn zou doen, en toen heb ik maar gauw wat verzonnen.'
De commissaris was woedend. Vooral toen we ontdekten dat tweeënveertig van de zeventig boeven, die ik gevangen had, helemaal geen boeven waren. Ze hadden allemaal gelogen, uit angst voor mijn sterke armen.
'Noem je dat boeven vangen?!' donderde de commissaris. 'Tweeënveertig onschuldige drommels bedreigen en opsluiten!'
Ze werden onmiddellijk vrijgelaten en ik moest hun allemaal een smak geld betalen, voor de moeite en het verdriet. Geld had ik niet, dus ik moest politieman blijven tot het allemaal was verdiend en betaald. Mijn wapenstok moest ik inleveren en ik moest ook op politieles. Een oude inspecteur leerde me alles over sporen zoeken, verdachten ondervragen, buit terugvinden en wat een agent verder moet weten.
'Je moet leren denken als een dief,' zei hij.

Alle goede politiemannen kunnen denken als een dief. De beste politiemannen worden zelf soms ook een beetje boeven. Ze laten bijvoorbeeld gevangenen ontsnappen in ruil voor geld. Of ze verkopen teruggevonden buit. Zulke politiemannen worden foute wouten genoemd.

Inspecteur Canorus, de grote boevenvanger,
was ook zo'n foute wout. Hij liet niet alleen negenhonderd
en negenennegentig gevangenen ontsnappen
(zijn broers, neven en achterneven, die hadden beloofd
dat hij voortaan het grootste stuk mocht),
maar hij verkocht ook het politiebureau en
de gevangenis aan een rijke stinkerd die er
een hotel van maakte. Ook de politiemannen verkocht hij,
aan een slavenhandelaar. Dat was dom van hem.
Hijzelf was tenslotte ook nog steeds een politieman.
Hij werd als slaaf naar het zuiden gevoerd
en er is nooit meer iets van hem gehoord.

'Ik wil leren denken als de Algapper,' zei ik. 'Want die wil ik vangen.'
Daar moest de oude inspecteur om lachen. 'De Algapper, ja, dat willen we allemaal wel. Maar niemand kan het. Behalve dan misschien de Grote Detective.'
'Waar kan ik die vinden, die Grote Detective?'
'Die? Oh, in een groot huis midden in de Bloemenbuurt. Maar dat is ver weg, drie weken reizen, in het westen van de stad. Jij hebt helemaal geen tijd om daarheen te gaan. En geen geld ook. En nou aan het werk.'
Aan het werk ging ik, aan het werk als een paard. Ik wilde snel geld verdienen, om de tweeënveertig onschuldigen af te betalen en op reis te gaan naar de Bloemenbuurt. Maar een politieman verdient niet veel. Het zou jaren en jaren duren voordat ik op weg kon gaan.
Ik vond een klein, fris huisje om al die tijd in te wonen, samen met mijn brave Merula. Ze was het meest toegewijde en vakkundige dienstmeisje dat je je voor kon stellen, ook al was ze nog geen tien jaren oud. Elke morgen ging ik op pad

om boeven te vangen. Merula bleef thuis, deed boodschappen, waste en kookte, plukte bloemen voor in de vaas - ontdekte dat er geen vaas was, kocht er één, enzovoort. Als ik 's avonds thuiskwam, stond er een heerlijke maaltijd klaar en geurde het hele huis naar bloemen. Na het eten zaten we bij de open haard. We kletsten over van alles en nog wat, en toen ik eenmaal gemerkt had hoe pienter Merula was, leerde ik haar lezen en schrijven. Gewoon voor de lol.

Lang niet iedereen begrijpt hoe heerlijk het kan zijn
om iemand iets te leren.
Het is werkelijk een groot genot;
helaas zijn er veel minder leergierige mensen
dan je zou hopen. Ik heb eens een leraar gekend
die de hele dag lesgaf aan iedereen die maar wilde luisteren.
Ja, hij was zo verslaafd aan lesgeven, dat hij zelfs dingen
uitlegde aan mensen die niet *wilden luisteren.*
's Nachts zwierf hij rond, in een zwarte cape
en met een zwart masker voor.
Hij sleurde onschuldige voorbijgangers een steegje in,
bond hen vast en legde hun moeilijke rekensommen uit.
De mensen vonden het verschrikkelijk,
en durfden in het donker hun huis niet meer uit.
Op het laatst wist de politie hem te grijpen en
hij werd naar de gevangenis gestuurd.
Daar had hij het zeer naar zijn zin,
want zijn medegevangenen konden niet weglopen
en hij maakte grote geleerden van hen allemaal.

Merula was dol op lezen en schrijven, en al snel leerde ik haar alles wat ik zelf wist. En dat was heel veel; ik had immers les gehad van de wijze Aegolius, de grootste geleerde aller tijden. We brachten lange winteravonden door met lezen en geleerde gesprekken.
We hadden een rustig, aangenaam leven. Ik wilde helemaal geen aangenaam leven; ik wilde de Algapper grijpen en daarna weer baron worden. En dan een krankzinnig luxe leven. Maar dat zou er voorlopig niet van komen.
Intussen werd ik beter en beter in mijn vak. Ik had geen groot talent als spoorzoeker, maar ik begreep snel hoe dieven dachten en dat is ook wat waard. Ik ving niet meer boeven dan andere agenten, maar ook niet veel minder en de commissaris was tevreden over me. Na een paar maanden kreeg ik mijn wapenstok weer terug. Daar was ik eerst wel trots op, maar al snel dacht ik: wat ben ik toch diep gezonken! Ik, een van de beste zwaardvechters van Duim, moet blij zijn met een stom eind hout.
Nee, ik was niet erg tevreden met mijn leven.
Gelukkig kwam er snel verandering in mijn bestaan.
Het gebeurde op een dag dat ik een buitengewoon belangrijke diefstal oploste. Een schurk had vijftigduizend goudstukken gejat uit de geldkoffer van een rijke zakenman. Alle agenten werden aan het werk gezet om dit ongehoord grote bedrag terug te brengen. De scherpste spoorzoekers en de slimste ondervragers deden hun uiterste best - maar ik was degene die de boef wist te grijpen.
Ik greep hem op een mistige maannacht, terwijl hij met een roeibootje probeerde te ontsnappen over de rivier. Ik sprong het bootje in en zei: 'Je spel is uit, schurk. Ik arresteer je in naam der wet.'
'Ben je in je eentje?' vroeg de boef. 'Of zijn er nog andere agenten in de buurt?'

'In mijn eentje. Maar ik ben mans genoeg, dus denk maar niet dat je nog ontkomt.' Ik brak met één hand een roeispaan doormidden, om te laten zien hoeveel mans ik wel was.
'U bent inderdaad zeer kranig,' prees de boef met een grijns. 'Maar gelukkig was ik niet van plan met geweld te ontsnappen. Integendeel. Ik wil u een voorstel doen. Als u mij ongehinderd laat vertrekken, dan geef ik u tienduizend goudstukken. Wat zegt u daarvan?'
Daar hoefde ik geen moment over na te denken. 'Kom maar op met die poen!' riep ik blij. De schurk gaf mij een grote zak met goud en ik stapte het bootje uit. We wensten elkaar een prettige avond en hij verdween op de duistere rivier van de nacht. Met veel moeite en geplons, want hij had nog maar één roeispaan.
Vrolijk fluitend wandelde ik naar huis. Wat is het toch fijn om politieman te zijn, dacht ik. Het is belangrijk, eerlijk, nobel werk en bovendien verdien je geld als water.
Ik was natuurlijk niet echt een politieman meer - ik was nu een foute wout. Maar op dat soort kleinigheden moet je niet letten. Anders wordt alles ingewikkeld.
In mijn hoofd rekende ik uit hoeveel boeven ik moest laten ontsnappen. Als ik elke week een schurk liet glippen, dan had ik na zeven weken genoeg geld om de tweeënveertig onschuldigen te betalen. En dan had ik nog genoeg geld over voor een reis naar de Bloemenbuurt, waar de Grote Detective woonde.
Ja, als alles meezat zou ik over vier maanden mijn paleis terughebben! Ik werd al gelukkig bij de gedachte aan het weerzien met mijn vrienden: meester Aegolius, Hendrik Houwdegen en die lieve, brave Barones.
Maar het werden geen vier maanden. Het werden er veel meer.

6 ZESDE HOOFDSTUK
waarin ik voorzitter word

In het begin liep alles volgens plan, hoewel het geld verdienen niet zo hard ging als ik had gehoopt. Die eerste boef had immers buitengewoon veel geld gestolen - hij kon mij dus ook heel veel betalen. Maar van een kruimeldiefje, dat een slappe beurs met wat zilverstukjes had gegapt, kon ik moeilijk tienduizend goudstukken vragen. Ik *vroeg* ze natuurlijk wel, maar ik *kreeg* ze niet. Want hij had ze niet.
Dat was een tegenvaller; toch verdiende ik een aardige zak met geld. Veel meer dan een gewone agent. In de maanden die volgden, werd ik fouter en fouter. Ik bracht bijna nooit meer een boef naar de gevangenis. Ik ving ze wel, maar ik liet ze meteen weer vrij - voor geld.
Soms glimlachte ik stilletjes voor me uit. Dan dacht ik terug aan de dievenbende van meester Jynx. Die oude schurk had urenlang lopen weeklagen omdat ik zo weinig talent voor het stelen had. 'Ach!' had hij geroepen. 'Wee! Alles probeer ik je te leren, alles! Maar je blijft maar stuntelen

en stoethaspelen! Al mijn moeite voor niets! Nooit zul jij ook maar één gestolen stuiver in je handen houden, akelige luilak!'

Haha, dacht ik. Ik wilde dat je me nu eens kon zien! Niet één gestolen stuiver? Inderdaad! Ik heb er honderden en honderden. Alleen: ik heb ze niet zelf gestolen. Ik heb ze van dieven afgepakt.

Ja, bedacht ik, eigenlijk doe ik juist heel eerlijk werk: ik steel van dieven!

Nu wist ik heel goed, dat niet iedereen het met me eens zou zijn. De mensen, die door de dieven bestolen waren, zouden het waarschijnlijk eerlijker vinden als zij hun eigen geld weer terugkregen, en als de dieven de nor in gingen. En misschien hadden ze daar ook wel een klein beetje gelijk in. Daarom was het ook streng verboden om een foute wout te zijn.

Ik hield mijn geld dus goed verborgen. Ik verstopte alles op de zolder van mijn huis, in een kist onder een stapel oude dekens. Niemand mocht ervan weten, zelfs mijn trouwe dienstmeisje niet. Ik was niet bang dat Merula me zou verraden, ook al zou ze daar een grote beloning voor krijgen. Nee, ze was een bijzonder goedhartig kind en ze zou niemand ooit verklikken. Vooral niet iemand die haar zoveel geholpen had. Maar juist omdat ze zo edelmoedig was, en zozeer aan mij gehecht, wilde ik verbergen dat ik een foute wout was. Merula had een hekel aan alle soorten slechtigheid. Ze zou vreselijk verdrietig zijn als ze merkte dat ik, haar geliefde meester, iets deed wat eigenlijk niet mocht. Misschien zou ze zelfs gaan huilen. En wie weet, wat er dan zou gebeuren! Misschien zou ik wel spijt krijgen, en het geld teruggeven aan de mensen, van wie het eigenlijk was! Dat moest ik natuurlijk voorkomen. Het was dus beter, dat Merula van niets wist en dat ik mijn werk in 't geheim deed.

Het komt wel vaker voor, dat meesters iets voor hun dienaren verborgen houden. Bekend is de Gravin van de Rivierenbuurt, die vijf jaar lang geheim wist te houden dat haar man gestorven was. 'Dat is een privé-aangelegenheid,' zei ze, 'waar de lakeien niets mee te maken hebben.' Ze liet een wassen pop maken, die door de lakeien werd verzorgd alsof het een levende graaf was. Zelfs de lakeien die hem elke dag aan- en uitkleedden, merkten het verschil niet. 'Mijnheer de graaf was altijd al aan de zwijgzame kant,' zeiden ze. Op een buitengewoon koude winternacht zetten de lakeien de namaakgraaf dicht bij de open haard. 'Is 't niet te warm, mijnheer?' vroegen ze. De pop gaf geen antwoord. Toen de lakeien een half uur later terugkwamen, was de pop gesmolten. De lakeien schrokken hier geweldig van, want ze dachten dat ze per ongeluk hun meester hadden vermoord. Ze lieten, op hun beurt, óók een wassen pop maken, in de hoop dat de gravin er niets van zou merken. Dat zat natuurlijk wel snor, en zo leefden zij nog twintig jaren in rust en tevredenheid.

Op een dag ving ik, na een hoop speurwerk, een boosaardige rover. Hij had al veel geld geroofd; ook had hij met een donderbus op allerlei mensen geschoten.
Ik vond hem in een donker steegje, waar hij stond te wachten op rijke, eenzame voorbijgangers. Ik schopte de donderbus uit zijn hand en brulde in zijn oor: 'Je bent er gloeiend bij! Jij gaat de gevangenis in, mannetje! Behalve als je mij een zak met goudstukken geeft.'

'Nou ja, zeg!' riep de rover verontwaardigd. 'Ik heb gisteren al vijftien goudstukken aan een andere agent gegeven! Zo *blijf* ik aan de gang. Dat is niet eerlijk, hoor.'
'Nee,' snoof ik. 'En mensen beroven is wel eerlijk, zeker?'
We kregen een grote ruzie over wie van ons tweeën de grootste schurk was. Uiteindelijk gooide ik hem in de gevangenis, want wie niet horen wil moet maar voelen. De rest van de dag had ik een rothumeur. Ik wist niet op wie ik kwader was: op de boef die mij geen geld wilde geven, of op de agent die mij voor was geweest.
Als ik dat agentje te pakken krijg, dacht ik, dan dreun ik hem op zijn neus. Er is hier maar één foute wout, en dat ben ik.
Ik besloot niet langer naar dieven te speuren. Ik ging op zoek naar foute wouten.
Het waren er meer dan ik dacht.
Na twee weken speuren had ik ontdekt dat er onder de tweehonderd agenten van ons bureau maar liefst twintig foute wouten waren. Van elke tien agenten was er één een foute wout. Daar viel niet meer tegenop te dreunen. Dus bedacht ik een ander plan.
Ik lokte de foute wouten, alle twintig, met een smoes naar een herberg, waar ik dikwijls een biertje dronk.
'Pssst!' zei ik. 'Er is een boef, met een hele hoop geld, die ik gevangen wil nemen. Morgenavond is hij in de achterkamer van herberg *De Eerlijke Landman,* maar ik kan daar zelf niet heen. Zou jij het van me over willen nemen?'
Natuurlijk zeiden ze alle twintig 'Ja hoor, geen probleem,' want ze wilden maar wat graag die boef laten ontsnappen in ruil voor zijn geld. Ze kwamen dus alle twintig naar de achterkamer van de herberg. Daar stonden ze stomverbaasd naar elkaar te kijken. 'Wat, jij ook hier? En jij? En jij? Hoe kan dat?'

Op dat moment stapte ik uit de schaduwen tevoorschijn.
'Geachte heren,' sprak ik plechtig, 'gaat u zitten.' Ik gebaarde naar een lange tafel, waarop één enkele kaars stond. Daar zaten we in het flakkerende schemerlicht, als echte samenzweerders. Ik zei zachtjes: 'Er is een bijzondere reden, waarom ik u hierheen heb gelokt. Ik heb jullie geheimen ontdekt en ik weet dat jullie, stuk voor stuk, foute wouten zijn.'
Rumoer. Protest.
'Wie, ik?'
'Nooit!'
'Onzin! Leugens!'
'De brutaliteit...'
Sommigen probeerden ervandoor te gaan. Maar ik had de deur op slot gedaan.
'Heren,' zei ik, 'geen paniek. Uw geheimen zijn bij mij in goede handen. Want ik zelf ben ook een foute wout. En ik zeg u: we kunnen nog meer poen binnenhalen, dan we nu doen. Veel meer! Als we tenminste samenwerken. We maken een club, een Foute Wouten Vereniging. Daar worden alle foute wouten lid van en wie geen lid is, mag geen boeven laten ontsnappen. Dan komen er niet meer foute wouten dan er nu zijn, en hoeven we met niemand te delen. Bovendien spreken we af hoeveel een inbreker moet betalen om vrijgelaten te worden, en hoeveel een rover of een moordenaar of wat dan ook. Iedere boef, die betaald heeft, krijgt keurig een bonnetje. Dan weet iedereen waar hij aan toe is.'
De twintig foute wouten vonden het een slecht plan, maar ik bleef op hen in praten en ik ben erg goed in het overtuigen.

Dat komt doordat ik les heb gehad van de wijze Aegolius,
en dat was de sluwste prater van Duim.
Over hem wordt het volgende verhaal verteld.
Ooit raakte hij aan de praat met een zeemeermin,
en voor de grap probeerde hij haar ervan te overtuigen
dat zeemeerminnen helemaal niet bestonden.
'Verhip,' zei de zeemeermin, 'ik geloof dat u gelijk heeft,'
en ze hield - poeff! - op met bestaan. Ze verdween in het niets.
Daarna heeft er nooit meer iemand een zeemeermin gezien.
Op een avond, in de dromerige stemming die volgt op een
goede maaltijd, vroeg ik Aegolius of dit verhaal waar was.
'Jazeker, jongeheer Falco,' antwoordde hij,
'en ik heb er veel spijt van, want zeemeerminnen
zijn toch zo aardig! Het liefst zou ik het goedmaken,
door een niet-bestaande zeemeermin ervan te overtuigen
dat ze wel *bestaat. Maar ja,*
waar vind ik een niet-bestaande zeemeermin?'

Ik sprak een uur achter elkaar. Ik liet mijn woorden kronkelen en wriemelen als een kluwen slangen, ik sprak in warrelende kringetjes, rond en rond, tot de twintig agenten hun kop niet meer van hun kont konden onderscheiden. Uiteindelijk wist ik hen over te halen. Ze benoemden mij zelfs tot voorzitter, wat wilde zeggen dat ik een gedeelte van alle winsten kreeg. Over de meeste regels waren we het snel eens. Een zakkenroller moest de helft van zijn buit afstaan, een inbreker tweederde, een rover driekwart, enzovoort.
'Maar, mannen,' zei ik, 'er is er één regel die jullie niet leuk zullen vinden...'

7

ZEVENDE HOOFDSTUK

waarin ik vrolijk en zelfs een beetje brutaal word

Ik boog voorover en fluisterde zo zacht, dat de anderen over de tafel moesten leunen om mij te kunnen verstaan.
'Ergens in deze stad waart een dief rond, die alles kan stelen. Hij wordt wel eens de Algapper genoemd, of de Dief

der Dieven. Hebben jullie wel eens van hem gehoord?'
Twintig hoofden knikten zwijgend in het flakkerende kaarslicht.
'Eigenlijk heet hij Ekster,' vertelde ik. 'Hij heeft goudblonde krullen, net als ik, en tatoeages op zijn pinken. Als je hem ooit vangt...'
'Ha!' schamperde een wout. 'Dat lukt ons toch nooit.'
'Nee, maar *als* het je lukt, mag je hem nooit laten gaan. Hoeveel geld hij je ook biedt. Al geeft hij je het paleis van een baron, vol goud en kostbaarheden en bedienden - en toevallig weet ik dat hij ook echt zo'n paleis *heeft* - dan nog moet je hem grijpen en bij mij brengen.'
'Oh, moeten wij dat?' snoof een andere wout. 'En waarom dan wel?'
'Omdat ik het zeg,' zei ik, 'en ik ben jullie voorzitter. Bovendien ben ik sterker dan jullie allemaal bij elkaar. Ik kan jullie makkelijk aan, zelfs met allebei mijn handen op mijn rug.'
'Dat zullen we nog wel eens zien!' riepen ze, en ze doken als één man op mij af. Maar daar had ik op gerekend. Snel blies ik de kaars uit, zodat het aardedonker werd in de kamer. Met een machtig spannen van spieren sprong ik recht omhoog naar de zoldering. In de zolder zat een haakje, waarin ik mij met mijn tanden vastbeet. De twintig wouten konden dit natuurlijk niet zien, vanwege de duisternis, en ze begonnen te stompen, te grijpen en te trappen. Daarbij dachten ze steeds dat ze *mij* raakten, maar ik hing veilig boven hen en zo sloegen ze elkaar tot de laatste man buiten westen.
Toen het geraas beneden mij was opgehouden, deed ik mijn mond open, zodat ik naar beneden viel. Ik kwam keurig op mijn voeten terecht, boven op een grote stapel agenten. Mijn handen had ik nog altijd op mijn rug. Natuurlijk had ik ook met mijn handen het haakje vast kunnen grijpen

- dat was zelfs veel gemakkelijker geweest. Maar ik had nu eenmaal gezegd dat ik de hele Foute Wouten Vereniging zou verslaan met mijn handen op mijn rug, en wat ik zeg dat doe ik ook. Ik hou niet van leugens.
Ik stak de kaars weer aan en haalde bij de waard twee emmers met ijswater. Die pletste ik over de twintig mannen heen. Bont, blauw en duizelig kwamen ze overeind.
'Begrijpen jullie nou dat je het van mij nooit zult kunnen winnen?' vroeg ik vriendelijk.
De twintig knikten schaapachtig van ja.
'Uitstekend. Dan begrijpen jullie ook wel dat jullie moeten doen wat ik zeg.'
Weer twintig ja-knikkende schapen.
'Dus. Doen jullie mee met mijn vereniging?'
Ja-geknik. Nog net geen geblaat.
'Wijn!' brulde ik, want een nieuwe vereniging moet gevierd worden. De dienstmeid bracht wijn, en meer wijn en nog meer, en in een mum van tijd waren de twintig ja-schapen weer vrolijk. Er kwam een speelman met een viool, en drie danseresjes met rode rokken die ze rond en rond lieten zwieren tot het tolde om je hoofd. Een wild feest, tot diep in de nacht.
Zwabberend en klotsend als een wankelend wijnvat strompelde ik door het duister naar huis. Daar brandde nog licht. Merula zat een boek te lezen.
'Ben je nog wakker?' vroeg ik bars. 'Zat je te wachten tot ik thuiskwam?'
'Ja.'
'Oh ja? Bevalt het je soms niet, als ik een feestje heb? Je zit me zo verwijtend aan te kijken...'
Ze schudde haar hoofd. 'Hoe zou ik u iets kunnen verwijten, nadat u zo goed voor mij bent geweest?'

'Nou ja, niet verwijtend dan, maar, eh, hoe heet het... teleurgesteld! Ja, dat is het! Je bent teleurgesteld in mij, geef het maar toe!'
'Ach,' zei ze zacht, 'wat maakt het uit? Ik ben maar een dienstmeisje.'
'Zo is het,' bromde ik. 'Als je dat maar weet.' Maar in stilte nam ik me voor om nooit meer zoveel wijn te drinken.

Hier heb ik mij strikt aan gehouden:
ik heb in mijn hele verdere leven
geen druppel wijn meer aangeraakt.
Met dit vertoon van wilskracht heb ik altijd
veel bewondering geoogst. Een tijdlang was het zelfs
in heel Duim de mode om geen wijn te drinken.
Wijnboeren gingen op de fles,
wijngaarden raakten overwoekerd door onkruid,
dronkenschap kwam niet meer voor, de misdaad liep terug,
nuchterheid en ijver heersten allerwegen
en Duim kende een tijd van ongekende voorspoed.
Men sprak van een Gouden Tijdperk,
maar ik vond het persoonlijk vrij saai.
Gelukkig bedacht ik mij dat ik me nooit voornemens
had gemaakt over bier, rum, jenever, brandewijn en
wat men verder nog aan drank verzinnen kan.
Die dingen kon ik drinken zonder mijn woord te breken,
en ik begon dat meteen enthousiast te doen.
Iedereen deed me weer na.
Het Gouden Tijdperk was meteen afgelopen.

De volgende morgen ging de vereniging hard aan het werk. Het werd een verbluffend succes. Om te beginnen zorgden mijn twintig foute wouten ervoor, dat er geen andere agenten fout werden. Want de poen was voor ons en voor niemand anders. Alle agenten werden door ons nauwkeurig in de gaten gehouden. Als er eentje een fout maakte, vertelden we het aan de commissaris. Dan ging die agent de nor in. Bovendien deden wij, foute wouten, heel erg ons best. Veel beter dan gewone agenten, want wij konden veel meer geld verdienen als we een boef vingen. Nou, dan vang je dus veel boeven. We lieten ze natuurlijk ook weer lopen, daar betaalden ze ons voor, dus al snel krioelde het in onze wijk van de boeven en schurken. Tuig en geteisem in alle soorten en maten. Inbraak en diefstal, roof en plundering waren aan de orde van de dag. Dat was ook weer goed nieuws voor ons: hoe meer boeven er waren, hoe meer geld wij verdienden. Voor de mensen in de wijk, die voortdurend beroofd en geplunderd werden, was het natuurlijk een beetje minder leuk. Maar je moet niet overal een probleem van maken, anders wordt alles ingewikkeld.
Ekster vingen we niet.
Natuurlijk niet.
Hij was de Algapper, de Dief der Dieven, en die laat zich heus niet door het eerste het beste foute woutje in de kraag pakken. Alleen de Grote Detective was daar slim genoeg voor.
En het zou nog maar een maand of twee duren voordat ik naar de GD op weg kon. Dan zou ik genoeg geld hebben om de tweeënveertig onschuldigen af te betalen. Fluitend ging ik over straat, huppelend van plezier greep ik boeven in de kraag. Ik was de vrolijkste agent ter wereld. Ik liep door het politiebureau als een trotse pauw, als een haan, alsof ik er

de baas was. Ik sprak de commissaris aan met 'jochie' en 'deugniet', en tijdens vergaderingen zat ik op zijn bureau en draaide achteloos de kurken van zijn snor. De eerste keer dat ik dat deed was hij zo verbaasd dat hij er niets van durfde te zeggen. De tweede keer durfde hij er weer niets van te zeggen - omdat hij er de eerste keer niets van gezegd had. De derde keer was het nog weer erger. Toen ik dat eenmaal merkte, begon ik er plezier in te krijgen. Ja, ik vond het zelfs leuk om allerlei redenen voor vergaderingen te verzinnen, speciaal om op zijn bureau te kunnen zitten, de kurken van zijn snor te draaien en hem 'deugniet' te noemen.
Op een dag, juist toen ik naar zo'n vergadering op weg was, werd ik onaangenaam getroffen door een stem. Een stem die ik kende. Een stem die uit het kantoor van de commissaris kwam.

Ik heb een bijzonder goed geheugen.
Stemmen, gezichten, namen, noem maar op:
ik onthoud het feilloos.
Al menig dame heb ik verbaasd door, bijvoorbeeld,
te zeggen: 'Ik heb u al eens eerder ontmoet,
alleen had u toen een blauwe jurk aan.
Het was op een feest bij hertog die-en-die;
om eerlijk te zijn heb ik u toen alleen uit de verte gezien,
heel even maar, terwijl u voorbij danste
in de armen van generaal zus-en-zo.'
Er zijn maar twee dingen
die ik niet kan onthouden;

het eerste is het verschil tussen oesters en mosselen.
De ene eet je rauw en de andere gekookt,
dat weet ik heel goed.
De ene vind ik heerlijk, de andere buitengewoon smerig.
Maar welke van de twee nu mossel heet en welke oester,
dat kan ik maar niet onthouden.
Ook leugens vergeet ik altijd weer.
Daarom bestel ik in een restaurant
nooit mosselen of oesters
en vertel ik nimmer leugens.

'Ik zoek Falco,' zei de stem. 'Falco van de Vogelwijk. Hij beweert dat hij een baron is. Kent u hem?'
'Zeker ken ik hem,' hoorde ik de commissaris antwoorden, 'en het is een brutale vlerk. Wat wilt u van hem?'
'Ik ga hem een flinke aframmeling geven. Voor straf, omdat hij ontsnapt is aan de Koning der bedelaars. Daarna neem ik hem mee terug naar mijn meester om de rest van zijn leven te bedelen.'
Inderdaad: het was de stem van Hop, de Krukkenman.

8 ACHTSTE HOOFDSTUK
waarin ik voortvluchtig word

Ik kan niet ontkennen dat ik schrok. Ik ben een uitstekende zwaardvechter, maar Hop de Krukkenman was een gevaarlijk man. Als hij vocht voor zijn koning stortte hij zich schuimbekkend op de vijand, zonder aan zijn eigen veiligheid te denken. Als een dolle hond. Dan zwaaide hij zo woest met zijn twee zwaarden, dat je dacht dat hij met z'n tienen was. Bij zo iemand helpt het niet, als je *eigenlijk* een betere vechter bent.

Kortom: ik had weinig behoefte aan een knokpartij.

Gelukkig hoorde ik de commissaris zeggen: 'Meenemen, zegt u? Daar komt niets van in, mijnheer. Hij moet nog een hele hoop poen betalen aan de tweeënveertig onschuldigen, die hij onterecht in 't gevang heeft gegooid.'

'Hmph,' deed Hop. 'Denk maar niet, dat ik hem niet zal vinden. Met of zonder uw hulp; ik heb nog nooit mijn prooi gemist.'
Nou, dacht ik, voor alles moet er een eerste keer zijn. Het spijt me voor je Hop, maar deze prooi ga je missen! En ik maakte me zachtjes uit de voeten. Op mijn tenen sloop ik het politiebureau uit, en buiten begon ik te hollen. Ik rende aan één stuk door naar huis. Hijgend riep ik tegen Merula: 'We gaan op reis! Neem alles mee wat we nodig hebben. Ik regel een koets. Zorg dat onze spullen over een half uur ingepakt zijn!' Daarna stoof ik naar boven. Naar de kist met geheimgeld. Ik deed het geld in een juten zak, slingerde die over mijn schouder en ging terug naar beneden. Op straat hield ik alle koetsen, die er een beetje fatsoenlijk uitzagen, staande en ik probeerde ze te kopen voor een belachelijk hoog bedrag. Ik bood tweehonderd goudstukken, vierhonderd, achthonderd, maar niemand wilde mij zijn koets verkopen. Sommigen waren te zeer aan hun karretje gehecht; de meesten geloofden domweg niet, dat ik zoveel geld had, omdat ik gekleed was als een eenvoudige politieman.

Het is duidelijk dat deze koetsiers de geschiedenis van Chrysolophus niet kenden. Chrysolophus was de rijkste man die er ooit in Duim heeft rondgelopen, maar dat was hem niet aan te zien. Hij was verschrikkelijk bang dat er iets van zijn goud gestolen zou worden.

Hij probeerde alle dieven om de tuin te leiden
door zich dag en nacht te vermommen als een arme bedelaar.
Hij sliep op straat, at beschimmelde korsten
uit vuilnisbakken, enzovoort.
Zo leidde hij een afschuwelijk leven
van armoede, honger en kou.
Toch stierf hij als een tevreden man,
want er was nog geen koperen duit
van zijn bezit gestolen.

'Hier,' rochelde een ouwe koetsier met een baard en een rafelhoed. 'Deze ken je so meeneme, foor duisent gouwetjes!' Maar dat was een wrak van een bak, dat bijna doormidden brak. Daar kwam je nog geen vijf mijl ver in. Het paard had geen tanden meer, en bijna geen spieren.

Ik maakte dus dezelfde fout als al die koetsiers:
ik ging alleen op het uiterlijk af.
Twee maanden later hoorde ik dat deze zelfde wrakke bak
de Grote Verschrikkelijke Lange Afstands Race
van Duim gewonnen had.
Zo ziet men maar weer.

Ten slotte kocht ik voor tweeduizend goudstukken een mooie tweezitter met drie stevige paarden ervoor. Er was precies een half uur voorbijgegaan. Merula zette net de laatste koffers buiten de voordeur. Ik smeet alle bagage in de koets, hielp Merula met instappen en sprong op de bok.

'Hou je vast, Merula!' brulde ik, en ik liet de zweep knallen. De paarden zetten het op een lopen en we schoten weg. Recht tegen een marktkraampje aan. Appels, perziken en meloenen vlogen door de lucht, kersen regenden in het rond, pruimen, peren en bessen werden tot puree getrapt en alles werd plakkerig en zoet. De fruitman, zijn klanten, mijn koets, mijn paarden, mijn dienstmeid en ikzelf.
'Juist ja,' zei ik. 'Let op Merula, dit was heel erg leerzaam. Zie je nu wat er gebeurt wanneer je nooit hebt geleerd een koets te besturen, en het dan *toch* doet?'
Merula knikte. Ik zat op de bok en krabde achter mijn kleverige oren. Hoe moest ik verder? Het was absoluut nodig om zo snel mogelijk te vertrekken, en ik kon niet zomaar een koetsier tevoorschijn goochelen. Gelukkig kan ik paardrijden als de beste. Ik klom op de rug van het voorste paard, gaf hem de sporen en bereed hem alsof hij slechts een enkel paard was. Alsof er geen twee paarden plus een hele koets achter hem aan slingerden. Wat ik hoopte, gebeurde ook. De achterste paarden volgden zonder nadenken degene die voor hen liep, want dat waren ze gewend. Paarden zijn net mensen. We gingen ervandoor, en dit keer goed, zo snel als de wind. Alles was zo vlug gegaan, dat de fruitman nog geen tijd had gehad om op te staan. Hij glibberde nog altijd rond in de vruchtenpuree.
'Moeten we die arme man niet betalen?' riep Merula boven het geratel van de koetswielen uit. 'Voor zijn fruit, en zijn kraampje?'
'Dat *moeten* we wel,' riep ik terug, 'maar dat *kunnen* we niet. Daarvoor hebben we teveel haast. Snap je?'
'Wat ik niet snap,' antwoordde Merula, 'is waarom we zoveel haast hebben.'
'Hop!' gilde ik. 'Hop de Krukkenman zit achter ons aan!'

Merula verbleekte, want ze kende Hop en ze wist hoe gevaarlijk hij was.
'Niet bang zijn,' riep ik. 'Hop weet niet waar we heengaan. Daardoor kunnen we hem *misschien* voorblijven.'
We reden de hele dag. Straat in, straat uit, door lanen en stegen, over afgelegen weggetjes en brede boulevards.
'Waar gaan we eigenlijk heen?' vroeg Merula.
'Geen idee!' riep ik terug. 'We zijn aan het verdwalen, en goed ook! Hop zal nooit ontdekken waar we zijn, als wij het zelf niet eens weten!'
Daar had ik gelijk in, en gerustgesteld zonk ze achterover in de zachte kussens van de koets. Met vaste hand leidde ik ons dieper en dieper de eindeloze doolhof van Duim in.
'Wat wil Hop eigenlijk van ons?' vroeg Merula onder het rijden.
'Aframmelen,' antwoordde ik. 'En daarna moet ik de rest van mijn leven bedelen. Geld verdienen voor de Bedelkoning.'
'Kunnen we hem niet gewoon geld geven?'
Daar moest ik om lachen. 'Praat geen onzin, meisje!' Natuurlijk had ze wel gelijk. Ik had heel veel geld - als ik alles aan Hop gaf, zou hij ons misschien wel met rust laten. Maar waarom zou ik hem zijn zin geven? Het was immers *mijn* geld, dat ik eerlijk verdiend had! Of nou ja, niet helemaal eerlijk misschien, eigenlijk meer een soort van oneerlijk, maar daar moet je niet moeilijk over doen. Anders wordt alles ingewikkeld.
Zwijgend reden we verder tot het donker begon te worden. We waren beland in een wijk die ik nog nooit eerder gezien had. Ik stopte bij een kleine, afgelegen herberg. Er kwam nauwelijks licht door de luiken. Op een piepklein uithangbordje stond de naam van de herberg: 'De Onopvallende Reiziger'.

Het is algemeen bekend dat de namen van herbergen
een geheel verkeerd idee geven over wat er binnen te vinden is.
Er zijn veel herbergen die 'De Gouden Leeuw' heten,
en daar is nooit een leeuw te bekennen.
Laat staan een gouden.
Evenmin hebben ze in 'Het Roode Hert' een rood hert.
Ooit ging ik, dom genoeg, een herberg binnen
die 'De Vrolijkheid' heette.
Een droever bedoening heb ik nooit gezien.
Aan de muur hingen schilderijen van treurwilgen in de regen.
Alle tafels hadden kringen van het vocht:
niet van bier of wijn, maar van tranen.
Zuchtend en hoofdschuddend zaten
de bezoekers achter hun glaasjes priklimonade,
waar de prik allang uit was.
Af en toe viel er eentje huilend op de grond.
Het verdrietigst van alles was de waard,
want hij verdiende geen cent aan al die sombere druilers.
Op mijn aanraden heeft hij de naam van zijn kroeg
veranderd in 'De Gierige Klant'.
Sindsdien zit zijn herberg tjokvol gulle klanten en
verdient hij geld als water.

Merula en ik gingen de gelagkamer binnen. Daar zaten de meest buitenissige reizigers, die ik ooit bij elkaar heb gezien. Niet alleen waren er de mensen van een rondreizend circus - een man met spieren zo groot als de buik van een varken, een vrouw met een baard, een temmer en zijn leeuw (die

trouwens Goudklompje heette, bleek later), en meer van dat soort volk - ook zaten er een rijke graaf en twaalf kamermeisjes, twee smiespelende spionnen in zwarte mantels, een dokter met een bloederig schort, zijn gebochelde hulpje en negen piraten met papegaaien op hun schouders.
'Gezellige boel hier,' zei ik.
'Ja,' zei Merula bleekjes. 'Maar zou dat niet gevaarlijk zijn?'
'Wat?'
'Dat,' en ze wees met haar vinger.
Op dat moment klonk er een oorverdovend gegil, gebulder, geschreeuw, gekraak en gekrijs.

9 NEGENDE HOOFDSTUK
waarin ik een vredestichter word

Het lawaai kwam van de piraten. Die hadden al de hele dag rum zitten drinken en nu waren ze vrolijker dan verstandig was. Ze hadden met elkaar zitten lachen om de vrouw met de baard.
'Wedden dat 't een echte baard is?'
'Ach welnee!'
'Jawel! Wedden?'
'Oké... Let maar eens op,' en hij trok de circusvrouw hard aan haar baard. Die wel degelijk echt was. 't Arme mens

begon te gillen en de spierenman, die met haar getrouwd was, werd kwaad. Heel kwaad. Echt buitengewoon bijzonder nijdig. Hij brulde zich 't schuim op de lippen en gooide een tafel vol glaswerk naar de piraten.
Het werd een gevecht van jewelste. De piraten zwaaiden met hun zwaarden, de spierenman mepte met een houten bank in het rond, de leeuw Goudklompje brulde, de papegaaien krijsten, de spionnen knipten hun messen open, de twaalf dienstmeisjes gilden en de rijke graaf riep op hoge toon om de waard. Maar die had zich verstopt achter de tapkast.
Merula en ik moesten ons voortdurend bukken, want glazen, flessen en stoelen werden her en der gesmeten.
'Het is hier wel gezellig,' zei ik, 'maar niet erg sjiek. Zullen we een andere herberg zoeken?'
'Kijk daar,' fluisterde Merula bleek. Ze wees naar de achterste hoek van de kamer. Daar was een kaars omgevallen. Er was een tafelkleed in brand geraakt, en ook de tafel zelf begon al te branden.
'Oho,' zei ik. 'Nu moeten we *zeker* een andere herberg zoeken. Van brand gaan je kleren stinken.'
'Moeten we niet helpen blussen?' vroeg Merula.
'Waarom? Dat kunnen die mensen toch wel zelf?'
Maar dat konden ze niet. De dol geworden spierenman stond vlak voor de brand met zijn bank te zwaaien, en niemand kon langs hem komen. Hij was zo woest dat hij niet merkte hoe warm het werd achter hem, ook al likten de vlammen al aan de muren. Nog even en de zaak zou reddeloos in de fik staan.
'Doe iets!' riep Merula.
Ik deed iets. Ik rende naar de tapkast, waaronder een paar grote biertonnen stonden. De grootste en volste ton tilde ik boven mijn hoofd en ik smeet hem door de hele zaal heen.

Het ding had zo'n vaart, dat het aan duigen vloog tegen de achterste muur, zodat honderdvijftig liters bier bruisend en borrelend in het rond spoten. Met een grote, sissende stoomwolk doofden de vlammen en de spierenman was meteen drijfnat. Hij schudde het bier uit zijn ogen, kuchte en sputterde en keek verbijsterd om zich heen. Naar de gelagkamer, die volledig in puin lag, naar de piraten met hun getrokken zwaarden en ten slotte naar de bank, die hij nog steeds in zijn handen hield.

Zo werd deze ruzie, die begonnen was met teveel drank (de rum van de piraten), ook weer beëindigd met teveel drank (het bier uit de ton). Het komt vaak voor, dat dingen eindigen met datgene waarmee ze begonnen zijn. Daarom moet een patiënt met koorts onder de warme dekens liggen; de kip, die uit een ei komt, legt zelf ook weer een ei. Dit is echter geen onomstotelijke wet! Ooit probeerde ik een soldaat, die door een kanonskogel verwond was, te genezen door hem nog een paar keer met een kanon te beschieten. Zijn gezondheid ging er echter, tot mijn ontsteltenis, alleen maar op achteruit.

De spierenman begon langzaam te blozen.
'Ik eh... ik ben toch hopelijk niet boos geworden, hè?' vroeg hij schuchter.
'Ik ben bang van wel, mijn liefste,' zei de vrouw met de baard en ze sloeg haar arm om hem heen. 'Heel eventjes

maar. Gelukkig heeft die vriendelijke meneer daar' - ze wees op mij - 'je met een bierton bekogeld, en nu ben je weer helemaal je eigen lieve zelf.'
'Oh, wat erg!' piepte de spierenman. 'Het spijt me vreselijk, mensen!'
'Geeft niks,' zeiden de piraten. 'Het is ook een beetje onze schuld. Wij hadden niet aan die baard moeten trekken.'
'Die dingen gebeuren,' lispelden de twee spionnen. En ze borgen hun messen weg.
Langzaam werd iedereen weer rustig, behalve de rijke graaf, die tegen de leeuwentemmer stond te schelden omdat Goudklompje twee van zijn kamermeisjes had opgegeten.
'Gloednieuwe kamermeisjes!' tierde hij. 'Nog geen krasje zat erop, zogezegd, en moet je nou eens kijken! Een gescheurd jurkje en een linkerschoen, meer is er niet van over! Een grof schandaal is het!'
Ik beende op de graaf af en sprak hem ernstig toe: 'Als ik eens vragen mag, hooggeboren heer, waar was ú eigenlijk op het moment dat de leeuw uw juffers opvrat?'
'Eh... ik was boven op dat tafeltje daar. Ik stond om hulp te roepen.'
'En in uw broek te plassen, zo te zien,' vulde ik aan. Ik wees op een donkere vlek in zijn blauwe fluwelen broek. Het grafelijk hoofd werd hoogrood.
'U bent een lafaard,' zei ik, 'en dat hoort een graaf niet te zijn, mijnheer!'
'Nee,' mompelde de graaf, 'tja, hum...' Met hangende schouders droop hij af.
'Dat heeft u zeer goed gezegd,' straalde de leeuwentemmer.
'Dank u wel! Mag ik u iets te drinken aanbieden?'
'Natuurlijk. Kom, Merula, laten we even bij deze vriendelijke mensen gaan zitten.'

De waard kroop achter de tapkast vandaan en bracht ons een fles van zijn beste wijn.
'Ik drink geen wijn,' zei ik. De waard keek mij misprijzend aan maar zei niets, en bracht een kan van zijn meest uitgelezen koffie.
Het werd een gezellige avond, want de circuslui waren inderdaad zeer vriendelijk. Behalve de leeuwentemmer, de spierenman, de baardvrouw, het slangenmens en de clowns waren er nog een waarzegster, een goochelaar, drie acrobaten en een heel verlegen vogeltemmer. Ik vertelde hun verhalen over mijn avonturen - over mijn ongelooflijke prestaties als jager, over de lessen die ik had gevolgd bij de grote oorlogsheld Hendrik Houwdegen, over hoe sterk ik daardoor geworden was en hoe kundig als zwaardvechter. En natuurlijk over mijn grote vriend, de geleerde Aegolius, de verstandigste man van Duim. Ze luisterden ademloos naar mijn verhalen, urenlang. Kortom: ze waren niet alleen aardig, maar ook erg intelligent.
Alleen de goochelaar mocht ik niet. Het was een ziekelijk bleke en magere kerel, met haren zo blond dat ze wit leken en ogen van een bijna doorzichtig grijs. Hij kon het niet verdragen dat iedereen mij zat te bewonderen in plaats van hem. Voortdurend zat hij de aandacht te trekken met zijn flauwe trucs. Hij haalde bij iedereen wel twintig muntjes uit de oren, wat iedereen heel vervelend vond, vooral omdat we de muntjes niet mochten houden - terwijl ze toch uit *onze* oren kwamen. 't Was trouwens steeds hetzelfde muntje, bleek later.
Na een tijdje haalde hij een duif uit zijn eigen neus. Dat was nog veel vervelender, want het was een knappe truc en nu keek iedereen naar hem in plaats van naar mij. Met een zelfvoldaan gezicht ging hij zijn duif zitten aaien.

‘Gaat u verder,’ zei hij, ‘met uw interessante verhaal.’
‘Eh... juist. Waar was ik ook alweer?’
‘U was, geloof ik, aan het vertellen hoe geweldig u was,’ zei hij zogenaamd behulpzaam. ‘Maar daar was u al twee volle uren mee bezig, dus...’
‘U vertelde net over een hele grote rat, waar u op joeg,’ hielp de waarzegster mij op weg.

Ik heb al eens verteld
hoe ongelooflijk reusachtig de ratten van Duim zijn
(hetzelfde geldt trouwens voor de duiven), maar het verhaal
van deze ene rat heb ik nog niet eerder opgeschreven.
Het was de grootste rat waar ik ooit van gehoord heb;
alleen de staart al was drie meter lang.
Hij kwam op me af terwijl ik, helaas,
al mijn kruit en kogels al verschoten had.
Ik zette het op een lopen, maar het
monsterlijke knaagdier achtervolgde me hardnekkig.
Ik dook een steeg in - hij dook een steeg in.
Ik sloeg linksaf - hij sloeg linksaf.
Ik rende om een dikke lindeboom - hij volgde me.
We renden rond de boom, en het beest was zo groot
dat ik over zijn staart moest springen
toen ik helemaal om de boom heen was gelopen.
De rat deed hetzelfde.
Na het volgende rondje om de boom
kroop ik onder de staart door - de rat volgde me.
Daarna weer eroverheen - de rat volgde me.

Daarna rende ik weg van de boom - en de rat bleef achter,
want zijn staart zat nu om de boom heen geknoopt
en hij kon geen kant meer op.

Precies op het spannendste moment van dit verhaal begon de goochelaar de duif terug in zijn neus te duwen. Het was een verbijsterende truc. Iedereen keek ernaar. Toen ze eindelijk opnieuw naar mij wilden luisteren, was ik de draad van mijn verhaal weer kwijt. De waarzegster hielp me weer op weg, maar nauwelijks was ik drie zinnen gevorderd of de goochelaar begon vreselijk hard te niezen - en ja hoor, er kwam een duivenei uit zijn neus getuimeld.
'Nu is het genoeg!' schreeuwde ik woedend.

10 TIENDE HOOFDSTUK
waarin ik geheel en al begoocheld word

'Het spijt me zeer,' grijnsde de goochelaar. 'Ik kon er niets aan doen. Dat eitje zat een beetje dwars en...'
'Smoesjes,' gromde ik. 'U zit al de hele tijd door mijn verhaal heen te klieren.'
'Heeft u er last van? Spijt me verschrikkelijk. Ver-schrik-ke-lijk! Ik zal u niet meer storen bij uw verzinseltjes.'
'Verzinseltjes!?' Ik sprong zo woest overeind dat de tafel om-ver vloog. 'Noemt u mij een leugenaar, meneer? Begrijp ik dat goed?'
'Dat begrijpt u uitstekend. Beter dan ik verwacht had.'
'U boft maar,' fluisterde ik sissend van woede, 'dat u geen

edelman bent. Als u een man van eer was geweest, had ik u uitgedaagd voor een duel op leven en dood - maar met gewone burgers vecht ik niet.'
De goochelaar keek mij met een hooghartig lachje aan. 'Ik ben wel degelijk van adel,' sprak hij lijzig, 'graaf Torgos de Tweede is mijn naam.'
Verbijsterd keek ik naar rest van de circusklanten. Zij knikten zwijgend: de goochelaar was werkelijk graaf Torgos.

Het verhaal van graaf Torgos is bekend in heel Duim.
Zijn vader, Torgos de Eerste, was een vreselijke gierigaard.
Vreemd genoeg was het juist door zijn zuinigheid,
dat al zijn geld verloren ging.
Hij had een schatkamer, zoals elke fatsoenlijke edelman,
maar daar was zijn geld niet veilig.
Er zaten kieren in de vloer, waar goudstukken doorheen vielen;
de tralies voor de ramen waren weggeroest,
zodat elke dief naar believen in en uit kon klauteren.
De tralies en de kieren waren eenvoudig
te repareren, maar Torgos de Eerste wilde daar
geen cent aan uitgeven.
Zo raakte hij de helft van zijn fortuin kwijt.
De andere helft begroef hij ergens in zijn uitgestrekte park -
dat kostte hem niets en het geld lag er veilig.
Helaas stikte hij drie dagen later
in de graten van een goedkope vis.
Hij stierf en zijn familie wist niet
waar het geld begraven lag.

Vanaf dat moment waren ze arm,
en moesten ze baantjes zoeken om geld te verdienen.
Vanwege dit afschrikwekkende voorbeeld
besloten veel rijkaards om nooit zuinig te zijn.
Ze haalden hun geld met handen tegelijk uit hun kisten,
zoals een konijn zand uit zijn hol graaft.
Zo eindigden ook zij als arme sloebers,
allemaal door de schuld van Torgos de Eerste.

'En aangezien ik van adel ben - al is het arme adel - zult u met mij moeten vechten.'
'Uitstekend,' siste ik. 'Op leven en dood. Morgen bij zonsopgang, op het kerkhof.'
'Welk kerkhof?' fronste Torgos.
'Weet ik veel. Er is altijd wel een kerkhof in de buurt.'
'Prima. Bij zonsopgang dan,' zei Torgos en hij vertrok.
Mijn brave Merula barstte in snikken uit en zei: 'Oh, mijnheer Falco! Gaat u alstublieft niet vechten morgenochtend! U kunt wel gewond raken, of... of erger...'
'Ben je bezorgd om mij, lieve kind?' vroeg ik geamuseerd.
'Natuurlijk, meester. U bent zo'n goed, edel mens. Wat zou de wereld zijn zonder u?'
'Een waardeloos oord,' zei ik, 'maar je hoeft echt niet bang te zijn dat mij iets overkomt. Je hebt geen idee hoe briljant ik ben, als zwaardvechter. Graaf Torgos is degene die zich zorgen moet maken - ik niet.'
'Maar wie weet hoe sluw die akelige goochelaar is. Hoe snel, hoe sterk...'
Mijn arme Merula wilde zich maar niet laten troosten, wat ik ook probeerde. Uiteindelijk zei ik: 'Luister goed. Ik ben een edelman. Een edelman verliest zijn eer als hij vlucht voor een duel. En een edelman houdt meer van zijn eer dan

van zijn leven. Dus er is niets meer aan te doen. En nu ga ik slapen.' En dat deed ik.
De volgende morgen kwamen we bij zonsopgang aan op het kerkhof. Het was een mooie, warme ochtend; toch hing er nog nevel tussen de zerken.
Tussen de nevelslierten doemde de mist-bleke gestalte van graaf Torgos op. Hij stond, samen met de leeuwentemmer, op ons te wachten. De temmer droeg een fluwelen koffer met twee degens erin.
'Aan u de keuze,' zei Torgos. Ik bekeek de zwaarden nauwkeurig. Ze waren van vlijmscherp glanzend staal, zonder barst of braam. Maar er was iets mis mee. Ze lagen slecht in de hand, ze zwiepten niet lekker. Onhandige krengen waren het, waarmee je onmogelijk fijn kon vechten. Alsof ze daar helemaal niet voor gemaakt waren.
'Zijn het sierzwaarden,' vroeg ik, 'voor boven de schouw?'
'Ik gebruik ze bij mijn optredens,' zei Torgos.
'We zullen het ermee moeten doen,' zuchtte ik. Ik koos een zwaard uit; Torgos pakte het andere.
Ik deed mijn jas uit en ried hem aan hetzelfde te doen. Maar Torgos haalde zijn schouders op en ging in de houding staan.

Iedere zwaardvechter weet dat je niet teveel kleren moet aandoen als je gaat knokken.
Dan kun je je namelijk niet vrijuit bewegen.
Bijna altijd wordt het duel gewonnen door de dunst geklede vechter.

Om die reden dacht de dwaze baron Alcedo slim te zijn -
hij vocht in alleen maar zijn onderbroek.
Maar het was hartje winter en hij was na
twee minuten stijf bevroren.
Het tegendeel hiervan was baron Turnix de Lafhartige,
die in vijftig wollen truien naar een duel kwam.
Hij kon zich niet bewegen en zweette als een otter,
maar hij verloor niet; het zwaard van zijn tegenstander was
niet lang genoeg om door al die truien heen te steken.
Dat werd dus een gelijkspel.

Torgos droeg niet alleen een jas, maar ook een grote zwarte cape en zijn hoge goochelhoed.
Nou ja, dacht ik, mijn probleem is het niet, en ik ging ook in de houding staan.
'Achteruit, Merula,' zei ik. 'En let goed op, want het is voorbij voor je 't weet.'
Merula en de temmer gingen onder een oude treurwilg staan.
'Begin,' riep de temmer, en ik stootte toe.
Torgos sloeg mijn zwaard opzij en stak op zijn beurt. Hij miste - ik was veel te snel voor hem. Verdediging, aanval, tegenaanval, schijnaanval... Iedereen kon zien dat Torgos geen enkele kans maakte. Ik glimlachte.
Torgos glimlachte ook. Want hij wist iets, wat ik niet wist.
Ik merkte het toen ik een aanval deed op zijn arm.
Torgos ving mijn degen op in zijn mouw, bewoog met zijn arm - *en de degen verdween*! Hij werd uit mijn hand gerukt, gleed Torgos' mouw in en tjoep! Het was belachelijk. Er paste helemaal geen degen in die mouw. En toch, hij zat erin. En hij kwam er niet meer uit.
Ik stond verbijsterd te kijken. Torgos stak verraderlijk toe en ik kon maar net op tijd wegduiken. Merula gilde van schrik.

Nu was Torgos in het voordeel, want ik had geen wapen meer. Gelukkig had mijn leermeester, Hendrik Houwdegen, mij op alles voorbereid. Met een vliegensvlugge duik en een sluwe draai greep ik Torgos' arm en rukte het zwaard uit zijn hand. Nu was *hij* ontwapend. Snel haalde Torgos mijn verdwenen zwaard weer tevoorschijn - uit zijn borstzakje.

Om een lang verhaal kort te maken: we konden het geen van beiden winnen. Ik was een veel betere zwaardvechter, maar hij zat vol stiekeme trucs. Zwaarden verdwenen in zijn hoed of onder zijn cape en kwamen weer tevoorschijn uit zijn oor of zijn neus. Hij bekogelde mij met witte konijnen en duiven en zakdoekjes die hij overal vandaan leek te halen. Met flitsen en rookwolken verdween hij in de mist, om heel ergens anders weer op te duiken. Ik stak dwars door hem heen, maar hij was een drogbeeld - het gelach van de echte Torgos klonk van twee meter verderop.

Ik begreep dat ik hem moest verslaan met slimmigheid in plaats van kracht.

Mijn volgende aanval was geen steek met mijn zwaard. Het was een graai met mijn hand. Ik graaide de goochelhoed van zijn hoofd. Daarna gooide ik mijn zwaard weg, en met allebei mijn handen ramde ik de hoed op Torgos zijn kop.

En wat ik gehoopt had, gebeurde.

Torgos verdween in zijn eigen hoed!

Hij was volledig verdwenen, en we konden hem nergens meer vinden. We kamden het hele kerkhof uit, Merula, de leeuwentemmer en ik. We vonden allerlei goochelspullen van Torgos: lampen en spiegels en mist-maak-machientjes, valluiken, klapdeurtjes, dubbele bodems...

Maar Torgos vonden we niet. Die was en bleef weg.

11 ELFDE HOOFDSTUK
waarin ik een artiest word

De leeuwentemmer barstte in huilen uit.
'Verloren!' jammerde hij. 'Wat een ramp! Verloren zijn we!'
Bevreemd keek ik hem aan. 'Verloren? U? Volgens mij is Torgos degene, die verloren is. Volkomen kwijt is-ie. En een ramp is dat bepaald niet, als je het mij vraagt. Het was een akelig mannetje.'
'Ach wat, akelig!' Het gezicht van de temmer was een masker van wanhoop. 'Hij was een geweldige goochelaar. Mensen kwamen van heinde en verre om hem te zien optreden. En dat bracht geld op, meneer, grote hopen keiharde pegels! Zonder Torgos zullen we armoe lijden - honger krijgen - doodgaan...'
'Kom kom,' suste ik, 'dat zal wel meevallen.'
'Dat zal helemaal niet meevallen!' snauwde de leeuwentemmer. 'We zullen omkomen van honger en kou, en dat is uw schuld!'
'Ik weet het goed gemaakt,' zei ik. 'Ik zal u bewijzen dat u het zonder Torgos kunt stellen. Ik reis een tijdje met u mee, en ik zal Torgos vervangen.'
'Kunt u dan goochelen?' vroeg de temmer verrast.

'Ach, dat kan toch iedereen! Allemaal nepperij en een beetje bluffen - hoe moeilijk kan dat nou zijn? U zult het zien. Ik heb alleen één voorwaarde - dat de tournee in westelijke richting gaat, want daar moet ik heen. Akkoord?'
De temmer keek me weifelend aan. 'Akkoord,' zei hij onzeker.
We moesten mijn koets ophalen om alle truc-spullen van Torgos van het kerkhof mee terug naar de herberg te kunnen nemen. Onderweg zei ik tegen Merula: 'Heb ik dat niet goed geregeld? We kunnen onze reis naar het westen voortzetten, vermomd als circusartiesten! Hop zal ons nooit meer kunnen vinden, wij gaan op ons gemak naar de Grote Detective en ondertussen help ik deze arme sloebers een handje.'
Merula knikte bedachtzaam. 'Weet u zeker dat het gaat lukken, dat goochelen?' vroeg ze.
'Begin jij nou ook al? We kennen elkaar nu al maanden - je zou intussen moeten weten dat er maar weinig dingen zijn, die ik niet kan!'
En zo was het ook, maar helaas ontdekte ik al snel dat één van de dingen, die ik absoluut niet kon, nou toevallig net goochelen was. Torgos had een wagen vol met eigenaardige spullen en apparaten en ik kon onmogelijk ontdekken hoe ze werkten, of wat er de bedoeling van was. Er was een hoge hoed die je in elkaar kon frommelen tot een heel klein balletje - maar waarom zou je een hoed in elkaar frommelen tot een heel klein balletje? Er waren zijden zakdoekjes die vanzelf in brand vlogen. Ik bezeerde me lelijk, toen ik mijn neus probeerde te snuiten - wat is daar de lol van? Er waren spiegels die ronddraaiden, kisten met luikjes die ik niet openkreeg, kisten met luikjes die ik wel openkreeg maar die nergens heen voerden, en een apparaat waar een knopje op zat dat helemaal *niets* deed.

Gelukkig vond ik, na een week lang rommelen, een boekje met aantekeningen. Op de kaft stond:

MIJN TRUCS

door graaf Torgos de Tweede

Er stond precies in hoe de trucjes moesten.

'Zet mijn naam maar vast op de posters,' zei ik tegen de temmer. 'Over twee dagen kan ik het.' En ik begon te oefenen.

Maar ook met het boekje erbij kon ik nog steeds niet goochelen.

Want een goochelaar heeft tien vliegensvlugge vingers nodig.

En ik heb geen tien vingers.

Ik heb geen pinken.

Ik heb mijn pinken verloren
bij een ongelukje in de keuken, toen ik drie jaar oud was.
Soms is het een nadeel om geen pinken te hebben,
zoals bij het goochelen of zakkenrollen.
Soms is het echter ook een voordeel.
Zo moest ik eens op de vuist met een beroemde bokser,
Perdix de Pinkenbreker. Perdix won altijd.
Met een sluwe stoot, de 'pinkenslag', brak hij de pinken van
de tegenstander, die daardoor niet meer terug kon slaan.
Natuurlijk keek hij lelijk op zijn neus toen hij met mij vocht:
geen pinken, dus ook geen gebroken pinken,
dus ik kon doormeppen naar hartenlust.
Dat deed ik dan ook, en wel zo hard,
dat Perdix drie maanden in bed moest blijven.
Eigenlijk is hij nooit meer helemaal de oude geworden.
Eigen schuld: die pinkenslag was een laffe truc.

Na twee dagen proberen en ploeteren stak de leeuwentemmer zijn hoofd om de deur van de wagen en zei: 'De voorstelling gaat beginnen, meneer Falco. Bent u er klaar voor?'
'Ja hoor,' zei ik. 'Best wel.'
De temmer liep voor me uit naar de circustent. 'U bent als laatste,' zei hij. 'Want u bent het bijzonderste.'
Dat wist ik nog niet zo zeker. Maar al snel zag ik, dat de andere optredens helemáál waardeloos waren.
Het begon met de clowns. Die waren niet grappig.
De acrobaten hadden hoogtevrees.
De vogeltemmer - die was het ergste van allemaal. Hij kwam de piste binnen met een heel klein musje op zijn hoofd. 'Kijk eens, dames en heren,' riep hij trots. 'Dit musje blijft op mijn hoofd zitten, helemaal uit zichzelf. Omdat hij mij aardig vindt. Leuk, hè? Nu ga ik hem vragen, of hij door een hoepeltje wil vliegen.' De vogeltemmer haalde een klein, houten hoepeltje uit zijn zak. 'Daar mag je doorheen vliegen, musje. Als je wilt. Maar het hoeft niet.'
Het musje wilde niet.
'Hij wil niet,' zei de vogelman. 'Nou, dit was het. Dank u wel.'
'Boe,' riep het publiek. 'Wij willen kunstjes zien! Eenden die kunnen tellen! Ooievaars die op hun kop staan! Ga nou tenminste die mus eens temmen, man! Geef hem met de zweep!'
De temmer barstte in tranen uit. 'Wat zijn jullie gemeen,' jammerde hij. 'Met de zweep! Kunnen jullie wel? Tegen zo'n klein musje?'
Ik stond samen met de waarzegster achter het gordijn. Zij schudde droevig het hoofd.
'Weet u wat het is?' vroeg ze zuchtend. 'Mijn man houdt veel te veel van vogeltjes. Het is een lieve man, maar een waardeloze temmer.'

'Inderdaad,' zei de leeuwentemmer. 'Gelukkig komt nu de spierenman. Die kan echt wat.'
Dat was waar. De spierenman boog ijzeren staven met zijn tanden, jongleerde met grote rotsblokken en vroeg om tien mannen uit het publiek, die hij in één keer boven zijn hoofd tilde.

Het is ongelooflijk, maar de spierenman
was nog sterker dan ik.
Toch heb ik eens iemand ontmoet, die nog sterker was dan hij.
Dat was een brave huisvrouw,
die bruine beren had als schoothondjes.
Ze stoeide graag met haar beren, maar alleen met
minstens vijf tegelijk, anders vond ze het saai.
Ooit heb ik met eigen ogen gezien
hoe ze haar man een handje hielp.
Dat was een aardrijkskundige, die landkaarten maakte.
Per ongeluk had hij
een hoge berg op de verkeerde plaats getekend.
Zijn vrouw schoof zonder blikken of blozen de berg
vijfhonderd meter naar het noorden, tot hij precies goed lag.
Op mijn vraag, waarom haar man niet gewoon
een nieuwe kaart maakte, antwoordde ze schouderophalend:
'Ach, waarom zou je het op de moeilijke manier doen?'

Het publiek klapte en juichte voor de spierenman en toen kwam de vrouw met de baard. Die liet haar baard zien.
'Kijk nou,' zei het publiek, 'een vrouw met een baard. Da's

nou ook wat.' Verder was er niet veel van te zeggen. Ze begonnen te gapen, dus al snel was de volgende aan de beurt en dat was de leeuwentemmer. Die liet zijn zweep klappen en Goudklompje deed kunstjes.
'Hoera,' schreeuwde het publiek. 'Leeuwen willen we zien! Nog meer leeuwen! En tijgers en zo!'
Maar er was maar één leeuw.
'Meer kunnen we er niet betalen,' legde de waarzegster fluisterend uit. 'Dat beest heet niet voor niets Goudklompje. Hij lust alleen de allerduurste biefstuk.'
Toen moest de waarzegster en dat was ook niks. Ze las de toekomst uit de handen van het publiek.
'Krijg ik een leuke man?' vroeg een meisje.
'Nee,' zei de waarzegster. 'Een hele saaie.'
'Zal ik avonturen beleven?' vroeg een jongeman.
'Nee,' schudde de waarzegster. 'Daar bent u te saai voor. Ik denk eigenlijk, dat u met dat meisje gaat trouwen.'
'Kunt u mijn geheim raden?' vroeg een dame met ondeugende ogen.
De waarzegster keek lang naar de dameshanden. 'U hebt helemaal geen geheim,' zei ze ten slotte. 'U doet maar alsof.'
'Boe!' riep het publiek.
'Maar het is allemaal waar!' riep de waarzegster terug.
'Kan ons niet schelen!' riep het publiek. 'Wij willen horen van leuke bruiloften en avonturen en geheimen!' Ze gooiden tomaten naar de waarzegster.
Ze hadden een rotavond.
'En dan nu, dames en heren!' brulde de leeuwentemmer. 'Het moment waar u allemaal voor gekomen bent! Het hoogtepunt van de avond! Onze goochelaar! Mag ik uw aandacht voorrrr... De Fantastische Falco!'

12 TWAALFDE HOOFDSTUK
waarin ik waanzinnig populair word

Ik stapte de gordijnen door, de piste in. Het publiek zat tot aan het dak van de tent, honderden mensen. Twee keer honderden ogen. Plotseling merkte ik, dat ik een heel klein beetje zenuwachtig was. Mijn handpalmen werden klam en zweterig.
'Dames en heren,' kondigde ik aan, 'we zullen beginnen met een eenvoudige truc: het zwevende glas.'
Ik pakte een glas uit mijn jaszak en hield het omhoog, zodat iedereen het goed kon zien. Iedereen keek.
Mijn handen waren een beetje nat en glibberig van het zweet. Daar kwam het misschien door: ik liet het glas vallen. Kretsj, in scherven.
'Het glas zweeft natuurlijk niet zo heel erg *lang*,' zei ik. 'Het zweeft eigenlijk vooral heel snel naar beneden.'

Ik wist nauwelijks wat ik zei. Ik bazelde maar wat, gewoon wat er in me opkwam, maar het publiek moest erom lachen. Ze dachten dat ik het glas expres had laten vallen, om een grapje te maken!
Zo leerde ik, terwijl het publiek zat te lachen, een belangrijke les: als je doet of iets zo hoort, valt het niet op wanneer alles mislukt.

Ik vertelde deze les ooit aan dokter Snip - een geleerde vriend van mij. Snip snapte onmiddellijk hoeveel geld hij kon verdienen met dit idee.
Tegenwoordig verhuurt hij zichzelf aan rijke handelaren en edelen en hij laat al hun mislukkingen lijken op successen.
Soms lees je in de krant: 'Onze onvermoeibare soldaten houden het kasteel van de vijand al maandenlang omsingeld.'
Dat soort berichten is meestal het werk van mijn vriend Snip, want eigenlijk had er moeten staan:
'Het lukt die sukkels maar niet om het kasteel in te komen.'
Ook kinderen kunnen Snip-taal gebruiken.
Ik kende een kleuter die vreselijk rommel had gemaakt en die zei: 'Ik heb nieuwe mogelijkheden geschapen om op te ruimen.'
'Goed zo,' zei zijn moeder verstrooid, 'ga maar fijn spelen.'
En dat deed hij.

Zo deed ik de ene na de andere truc. Ze mislukten bijna allemaal. Ik liet dingen uit mijn handen glippen, raakte verward in onzichtbare draadjes, kreeg luikjes niet open, enzovoort. Sommige trucjes lukten wel een beetje, maar het publiek kon gewoon zien hoe het werkte. Ik goochelde bijvoorbeeld een rubber balletje weg. Dat wil eigenlijk zeggen dat ik het heel klein probeerde te frummelen in mijn vuist, maar het uiteinde van het balletje piepte onder mijn ringvinger uit. Ik kon het uiteinde van het balletje gewoon zien zitten en het publiek zag het ook.

'Ja, deze truc is eigenlijk ontworpen voor iemand met pinken,' zei ik, 'en die heb ik niet. Kijk maar.'

Het publiek lachte en lachte en lachte. Ze vonden mij reuze leuk en ik kreeg een donderend applaus.

Ze vertelden aan iedereen hoe geweldig ik was en de tent zat elke avond vol.

De leeuwentemmer zei: 'U goochelt heel anders dan Torgos, moet ik zeggen. Of eigenlijk moet ik zeggen: u goochelt gewoon helemaal *niet*. Maar toch verdient u meer geld dan hij. Veel meer. U bent trouwens ook veel aardiger dan hij. Ik ben werkelijk blij, dat u bij ons gekomen bent.'

Ik was er ook blij mee. We hadden het goed naar onze zin in het circus, Merula en ik. De mensen waren er aardig, vooral de spierenman. Een heel gevoelige man was dat, en bovendien verstandig - behalve als hij kwaad was. Gelukkig was hij dat niet vaak. Meestal schreef hij gedichten. Soms hele korte, zoals:

Ik ben sterk
Dat is mijn werk

Maar ook wel eens langere.

De waarzegster, die madame Ulula heette, mocht ik ook erg graag. En zij mocht mij graag. En haar man, de vogeltemmer, ook. Eigenlijk hielden alle circusmensen van mij, want er kwam veel publiek tegenwoordig. Speciaal voor mij kwamen ze, omdat ze me zo grappig vonden. Ze betaalden goed geld dus het hele circus werd rijk. We kochten mooie nieuwe wagens en een nieuwe tent, twee keer zo groot als de oude. Daar konden twee keer zoveel mensen in. Twee keer zoveel geld, want kijkende mensen zijn geld als je een circus bent. We kochten glitterpakjes voor de acrobaten, en vijf gevaarlijke tijgers. Het hele circus werd mooier en beter, allemaal dankzij mij. Dus het was niet vreemd, dat de circuslui zo dol op me waren.

Maar meer nog dan van mij hielden ze van Merula.

Ze is zo rustig, zei de spierenman. Ze is zo vrolijk, zeiden de clowns. Ze helpt je altijd met alles, zonder dat je het hoeft te vragen, zei de vogeltemmer. Het is 'n dapper kind, zeiden de acrobaten. Met een lief, mooi gezichtje, zei de vrouw met de baard. En de waarzegster zei: 'Dat kind gaat een grote toekomst tegemoet!'

En als de waarzegster dat zei, dan was dat zo. Want wat die in je hand las, dat kwam altijd uit.

Maar tegen mij wilde ze niet alles vertellen.

'Tjonge,' zei ze toen ze mijn hand bekeek, 'u bent nog jong, maar u heeft al een druk leven gehad! U bent bedelaar en edelman geweest, politieman en dief en... Lieve help!' Haar gezicht werd bleek als melk en haar ogen puilden groot en bol.

'Wat is er?' vroeg ik.

'Niets,' stamelde madame Ulula.

'Hou je grootje voor de gek,' zei ik. 'U heeft iets gelezen in mijn hand, iets waar u van geschrokken bent.'

'Welnee, ik... ik...' Ze frummelde een zakdoek tevoorschijn en depte haar ogen.

Ik zei niets maar keek haar streng aan. We zwegen allebei. Het hoofd van madame Ulula werd roder en roder.

Eindelijk zei de waarzegster: 'Je hebt gelijk, mijn jongen. Ik heb iets gelezen in je hand. Iets... iets ongelooflijks. Ik kan het je niet zeggen. Ik *durf* het niet te zeggen. Want als ik

het je vertel, zul je het niet geloven; ook *dat* staat in je hand. Maar ooit komt er een dag dat je het zelf zult lezen. Want ik zal je leren hoe je handen moet lezen. Nu nog niet; later!'
En dat is alles wat ze zeggen wilde, hoe ik ook smeekte of dreigde.
Vanaf die dag vulden haar ogen zich met tranen, telkens als ze naar me keek.
In het begin vond ik dat vervelend, daarna deed ik alsof ik het niet zag en na een tijdje zag ik het echt niet meer. Ten slotte vergat ik het. Ik had het druk genoeg.
Mijn optredens werden steeds beter. Niet alleen grappiger: ik ontwierp ook speciale nieuwe goocheltrucs, die je kon doen als je geen pinken had.

Zoals ik eerder al zei, kun je al je fouten
het best vermommen als successen. Een van de trucs die ik
bedacht was die van de Afgesneden Pinken.
Die hield in dat iemand uit het publiek
met een scherp mes mijn pinken eraf mocht snijden.
Daarbij vloeide er geen druppel bloed,
tot grote verbazing van het publiek.
Het waren natuurlijk rubberen namaakpinken,
maar dat wist niemand. Deze truc deed ik als eerste;
daarna deed ik het hele verdere optreden zonder pinken.
Goochelaars kwamen van honderden mijlen om het te zien,
en ze puzzelden en braken hun hoofd erover,
maar geen van hen heeft ooit begrepen hoe dat kon.
Ze snapten maar niet hoe ik mijn echte pinken

verborgen hield, een hele voorstelling lang.
Het antwoord is natuurlijk eenvoudig: wat er niet is,
hoef je ook niet te verbergen.

Mijn optredens werden beter en beter, want als er af en toe een trucje wel lukt, geloven de mensen nog beter dat al je mislukkingen expres en bedoeld zijn. Kortom: nog meer geld, nog een grotere tent, nog meer geld, fluwelen kussens op de tribunes, gouden halters voor de spierenman enzovoort. Er was geen rijker circus in de wereld dan wij.
En terwijl we rijker en rijker werden, trokken we alsmaar verder naar het westen. Naar het uiterste westen, waar de wijk ligt die de Bloemenbuurt genoemd wordt.
De lucht daar is altijd zwaar van zeemist en regen. De huizen zijn er hoog, en grauw van het roet uit de duizenden schoorstenen.
Maar voor mij was het een wijk van vreugde en zonlicht en hoop. Want hier stond het huis van de enige man die mij kon helpen de Algapper te vinden: de Grote Detective. Eindelijk, eindelijk zou ik een kans krijgen om Ekster te grijpen en mijn paleis terug te vinden, met mijn moeder de Barones en mijn vrienden Aegolius en Hendrik Houwdegen.
Mijn buik voelde woelig als een wervelstorm toen ik op een avond een koets huurde om mij naar het huis van de GD te brengen. Het was geen groot huis, er hing geen uithangbord om te zeggen welke geweldige man hier woonde. Er stond niet eens een naam bij de bel.
Ik strekte mijn hand uit naar het bellenkoord, maar voor ik aan kon bellen, legde iemand een hand op mijn arm. Een zachte hand met nepgouden ringen en vuurrode nagels.

13 DERTIENDE HOOFDSTUK
waarin ik teleurgesteld word

Het was madame Ulula. Haar ogen waren vochtig van medelijden en ze zei: 'Zul je niet te droevig zijn, mijn jongen, als de Grote Detective je niet wil helpen?'
Ik lachte zorgeloos. 'Wees maar niet bang, madame, de dagen van Ekster's dievenstreken zullen spoedig voorbij zijn. De GD is de beste boevenvanger van de hele wereld, en Ekster is de ergste dief die er is. Waarom zou de GD Ekster niet willen vangen?'
'Tja, waarom niet?' zei de waarzegster. 'Dat kan ik je niet zeggen. Maar jou zal hij niet helpen, dat heb ik in je hand gelezen.'

Welja, dacht ik, in mijn hand gelezen. Allemaal hocus-pocus en verzinnerij. Madame mag dan vaak gelijk hebben, deze keer heeft ze het toch mis. Zo zie je maar weer, dat het bedrog is. En ik houd niet van bedrog.
'We zullen het wel merken,' zei ik koeltjes, en ik belde aan.
De bediende van de GD deed open.
'Goedenavond,' zei ik. 'Ik wil graag de Grote Detective spreken. Ik heb een zaak voor hem, een zeer interessant en ingewikkeld geval.'
'Dat denken ze allemaal,' zei de knecht. 'Maar meestal valt het tegen. Vaak lost mijn baas het in een kwartiertje op. Hij hoeft er niet eens de deur voor uit. Even nadenken en 't is gepiept. Maar goed; ook saaie misdaden moeten worden opgelost.'
Hij gebaarde dat ik binnen moest komen en wees me een lange, smalle trap op. Er lag geen loper op de trap en de muur was helder wit, zonder ook maar één stofje of spinnenweb. Toen ik omkeek, zag ik dat de bediende achter me aan kwam met een stoffer en blik. Hij veegde al mijn voetstappen meteen van de trap.
'Mijn meester houdt van schoon,' verklaarde hij.

Er zijn ook mensen die het juist gezellig vinden
als hun huis een beetje rommelig is. Als het te netjes is,
beweren ze, kun je niet zien dat er geleefd wordt.
Sommige mensen gaan daar te ver in.
Ik was ooit op bezoek bij een mannetje aan

wiens huis een dikke laag smerigheid
zat vastgekoekt - appelschillen, harde snotjes,
afgeknipte nagels, vodden, spuug, rottende aardappels,
papiertjes waarop dingen stonden die hij ooit had willen
onthouden en ga zo maar door.
De laag met viezigheid was zo dik,
dat je niet meer kon zien
of het huisje van hout was gemaakt of van steen.
Ook hoeveel verdiepingen het precies had, kon je van
buitenaf niet zien. Het enige wat zeker was,
was dat het heel vies was.
'Ha,' zei het mannetje vaak,
'het ruikt toch maar nergens zoals thuis.'
Nu, daar had hij gelijk in.
Ik had nog nooit zo'n walgelijke stank geroken en
ik moest ter plekke overgeven.
'Ooooh!' riep het mannetje verheugd, 'mag ik dat hebben?
Is het een cadeautje? Wat een prachtige kleuren!
Zo mooi groengeel en met die vrolijke oranje stukjes erin...
Dank je wel hoor, dat had je niet moeten doen,'
en hij begon zeer zorgvuldig met mijn overgeefsel
zijn walgelijke huis te verven.

We moesten wel drie verdiepingen hoog. Niet één van de houten traptreden kraakte. Ergens boven ons speelde iemand op een viool, zo droef en ontroerend, dat de tranen over mijn wangen liepen.
Het was de GD zelf, zag ik toen ik zijn kamer binnenkwam. Hij speelde met gesloten ogen, zonder te merken dat wij binnenkwamen. Midden in de kamer stond hij, kaarsrecht, en er lag een verdrietige glimlach op zijn gezicht. Zijn lied was een lied van medelijden, met alle doden, met

hun vrienden die achterbleven - zelfs met alle moordenaars, omdat niemand een mens doodt uit het verlangen om slecht te zijn, maar meestal uit wanhoop of angst.
Wie hem zo zag spelen en zijn lied hoorde, begreep meteen dat het hart van de GD tot barstens toe gevuld was met verdriet. Met al het leed dat een detective moet zien. Zijn hart zou zonder twijfel breken als hij zijn viool niet had, om zijn verdriet aan door te geven. Violen kunnen ieder verdriet verdragen; hun hart is hol, en van hout.
Het lied duurde lang, heel lang. De kaars in de kamer was al bijna opgebrand toen de GD eindelijk zijn viool weglegde en om zich heen keek als iemand die uit een diepe slaap ontwaakt.
Al die tijd had ik zwijgend naar hem staan staren. Nu keek ik ook om me heen, voor het eerst. De kamer was kaal. Er waren een tafel, een stoel en een bed. Aan de muur een kleerhaak, en een rekje voor de viool. Verder was er niets. Geen kastjes, geen schilderijtjes, geen gordijnen of behang. Geen geinige hebbedingetjes. Kortom, niets wat een kamer prettig maakt. En ook hier was alles natuurlijk smetteloos schoon.
'Wat wilt u?' vroeg de GD.
'Ik kom u vragen een diefstal op te lossen.'
'Ik los geen diefstallen op,' zei de GD kortaf. 'Bedankt voor uw bezoek. Goedenavond.'
'Niet zo snel,' lachte ik zelfverzekerd. 'Dit is niet zomaar een diefstal, het is *de grootste diefstal ooit*. En ik weet wie de dief is: de Algapper, de Dief der Dieven.'
'Dieven interesseren me niet,' zei de GD koeltjes. 'Moordenaars, ontvoerders, dat zijn interessante mensen. Hoe komt iemand ertoe een medemens van zijn leven of zijn vrijheid te beroven? Dat zijn afschuwelijke daden; ik wil begrijpen

waarom ze gebeuren. Maar een dief is saai. Wie de spullen van een ander pakt, is niet meer dan een hebberige gek. Trouwens, wie zijn spullen voor zichzelf wil houden, is ook hebberig en gek. Wat kan het mij schelen, welke gek welke spulletjes heeft? Spullen zijn onzin. Om te denken heb je geen spullen nodig.'

Hoe durfde hij! De arrogante kwal! Er was meer geld van mij gestolen dan hij ooit zou hebben, maar het interesseerde hem zogenaamd niet. Meneer had het te druk met denken. Alsof denkers niet van spullen houden! Mijn leraar, de geleerde Aegolius, wilde altijd zijn boeken om zich heen hebben - en hij was een van de grootste denkers van Duim. Trouwens, de GD had zelf ook een spul: zijn viool.

Dus ik zei bijtend: 'En vioolspelen? Heb je daar ook geen spullen voor nodig?'

De GD gaf geen antwoord maar pakte onverstoorbaar zijn viool en gooide het ding het raam uit - tenminste, dat probeerde hij. Maar hij miste het raam en de viool raakte de muur, waartegen het ding krakkeploing! in stukken uit elkaar spatte.

De Grote Detective kon iedere misdaad oplossen,
maar verder kon hij bijna niets.
Niet alleen kon hij geen viool door een raam gooien
- terwijl het toch een behoorlijk groot raam was -
hij kon zich niet eens zelf aankleden.
Daar had hij zijn bediende voor.
Ooit was zijn bediende ziek;

toen verscheen de GD op straat met zijn broek
op zijn hoofd en zijn hoed aan een voet.
Niemand weet hoe de GD uiteindelijk
aan zijn einde is gekomen.
Sommigen zeggen dat hij dood is gegaan,
omdat het ademhalen hem op een dag te ingewikkeld werd.
Anderen zeggen dat hij niet gestorven is,
maar dat hij nog altijd ergens in een kamer zit
en er niet uit kan, omdat hij domweg is vergeten
hoe de deurklink werkt.

Zonder op of om te kijken zei de GD tegen zijn knecht: 'Gooi die rommel even het raam uit, wil je?' De knecht veegde eerbiedig de resten van de viool bij elkaar en gooide ze naar buiten.
'Spullen zijn onzin,' herhaalde de GD. 'Violen ook. Had u verder nog wat?'
Mijn vel werd klam en warm. De GD was mijn enige kans. Ik moest hem overhalen mij te helpen. Ik vertelde hem mijn hele geschiedenis. Hoe ik als kind door een dievenbende werd gestolen, hoe ik daar Ekster leerde kennen. Dat Ekster de zoon van een baron was. Dat de soldaten van de Baron per ongeluk mij hadden bevrijd, in plaats van Ekster.
'Daar was u zelf bij, meneer de detective, weet u nog?'
'De Zaak van de Ontvoerde Jonker,' knikte de GD. 'Die stomme soldaten hebben de zaak dus verprutst. De verkeerde meegenomen.'
'Ja, of nou ja, de verkeerde... het kwam allemaal prima uit eigenlijk. Ekster werd een meesterdief, de Algapper, die alles kan stelen. En ik werd de rijkste baron van Duim. Maar Ekster, de ellendeling, die heeft mij alles afgestolen. Mijn paleis, mijn goud, mijn familie, mijn vrienden...'

'Zijn,' zei de GD kalm.
'Pardon?'
'Zijn,' zei de GD nog eens.
'Wat bedoelt u?'
De blik van de GD doorstak mij als een sabel. 'U zei: mijn paleis, mijn familie, enzovoort. Maar u had moeten zeggen: *zijn* paleis, *zijn* familie. Want ze waren eigenlijk van hem - van Ekster - en niet van u. Hij heeft groot gelijk dat hij alles heeft teruggepakt. Als u denkt dat ik u zal helpen ze weer in handen te krijgen, dan bent u volslagen geschift. Sterker nog: u mag uw gesternte danken dat ik geen dieven vang. Want u bent hier de dief. Een dief van het allerergste soort.' Hij wenkte zijn knecht. 'Wijs deze meneer de weg naar buiten,' zei hij streng. 'En help me daarna mijn pyjama aantrekken.'
De knecht greep mijn arm en stuurde me zachtjes de trap af.
'Goedenavond,' zei hij beleefd, en met een donderende klap sloeg de deur van de Grote Detective achter me dicht.
Madame Ulula stond nog steeds op de stoep.
'Arme, arme jongen,' zei ze. Ze legde een troostende arm om mijn schouders. 'Trek het je niet aan. Het komt allemaal wel goed; ik heb het gelezen in je hand.'
Op dat moment hoorden we een luid geschreeuw.

14 VEERTIENDE HOOFDSTUK
waarin ik een beetje warrig word

Het was de leeuwentemmer. Hij kwam de hoek om gerend, gevolgd door de spierenman. Voor hen uit rende Goudklompje, die aan de grond snuffelde als een speurhond.
'Daar is-ie!' riep de temmer. 'We hebben 'm! Goed werk, Goudklompje!'
'Wat komen jullie doen?' vroeg madame Ulula nijdig.
'We waren bang dat Falco ons verlaten had,' mompelde de spierenman. 'En dat... hij moet.... Ik bedoel, we wilden hem terughalen. Ik bedoel, vriendelijk vragen of... eh...'
'Zonder Falco gaan we op de fles,' zei de leeuwentemmer beslist. 'Hij mag ons niet in de steek laten.'
'Dat zal hij ook heus niet doen,' snauwde madame Ulula.

'Tenminste, voorlopig niet. Dat heb ik jullie al vaak genoeg gezegd. Heb ik gelezen, in zijn hand.'
'Nou ja,' mokte de temmer zachtjes, 'u kunt het toch ook wel eens mis hebben?'
'Nooit,' zei madame Ulula. 'Kom jongen, we gaan naar huis.'
Ze nam mijn hand en sleepte me mee. Ik merkte het nauwelijks; mijn gedachten waren nog bij de Grote Detective. Ik trilde van ongeloof. 'Hij zei dat *ik* de dief was, in plaats van Ekster. Maar hoe kan ik nou een dief zijn? Ik ben toch niet slecht?'
'Natuurlijk niet,' suste madame Ulula. 'Een doodgoeie knul, dat ben je. Kom, dan gaan we naar huis.' Naar het circus, bedoelde ze, maar dat was mijn huis niet. Mijn paleis was mijn thuis, mijn gestolen paleis dat ik nooit meer terug zou zien. Omdat die ellendige detective me niet wilde helpen. Ik kon wel janken.
Het ergste van alles waren de gedachten die zich diep in mij verborgen. Misschien heeft de GD wel gelijk, borrelde het in mijn buik. Misschien had Ekster meer recht op dat paleis dan ik, rilde het langs mijn ruggengraat.
Maar mijn hoofd zei: nou en? *Ik* was de baron, het was *mijn* paleis en daarmee uit.
Ik was, kortom, een beetje in de war. Wazig en aarzelend liet ik me naar het circus brengen. Madame Ulula en mijn lieve Merula legden me in mijn bed en zorgden voor me alsof ik een zieke baby was. Ik was niet ziek, alleen maar somber en knorrig. Ik klaagde over alles en mopperde op het circus, dat mijn paleis niet was, op madame Ulula die de barones niet was en op Merula, die in haar eentje geen honderd lakeien kon zijn.
Goudklompje lag dag en nacht voor de deur van mijn woon-

wagen. De leeuwentemmer was nog steeds bang dat ik er op een onbewaakt moment vandoor zou gaan. Wat bewijst dat hij een sufferd was, want ik had niet eens de puf om van mijn bed op te staan.

Mensen die verdrietig zijn, of boos of iets dergelijks,
voelen zich vaak moe. Het omgekeerde geldt ook.
Ik heb eens een monnik gekend, die door lang bidden
gereinigd was van verdriet en zorgen.
Hij was nooit moe en hoefde nimmer te slapen.
In de extra tijd, die hij op die manier won,
had hij mooie dingen willen doen: Mensen helpen,
dieren verzorgen, het land bewerken of kunstwerken maken.
Maar hij deed niets van dat alles, want hij moest dag en nacht
bidden om vrij te blijven van nare gevoelens.
Toen hij tachtig was, zag hij in dat zijn leven
zinloos was geweest en van spijt werd hij zo vreselijk moe,
dat hij ter plekke stierf.

Merula en madame Ulula, die geweldige vrouwen, omringden mij met duizend goede zorgen. Ze gaven me lekkere hapjes, klopten mijn kussens op en lazen mij verhalen voor. Bovendien zeiden ze elke dag wel duizend keer dat ik een goed en mooi mens was, en dat de GD een gek was die wat hen betreft naar de maan mocht lopen.
Zo bleef ik vijf dagen in bed. Toen stormde de leeuwentemmer binnen en trok de dekens van mij af.
'D'r uit,' commandeerde hij. 'Bedden zijn om in te slapen,

wat dacht je wel, dat het publiek betaalt om een leeg podium te zien? Mooi niet, meneertje! Er moet gewerkt worden en een beetje snel. Vanavond voorstelling! Nog maar enkele kaarten verkrijgbaar! De verbijsterende trucs van de Fantastische Falco! Komt dat zien! En reken maar dat ze komen. Vort, d'r uit, en oefenen! Hup twee drie!'

De leeuwentemmer was een goede temmer. Zijn zweep gebruikte hij alleen maar voor de show. Hij temde met zijn stem en verder niets. Als hij een bevel gaf, moest zelfs de grootste leeuw gehoorzamen, of hij wilde of niet. Ja, zelfs ik, die een baron was geweest, die voor niets en niemand bang was, deed wat hij zei. Maar dat kwam natuurlijk vooral, doordat ik nog een beetje in de war was. Normaal is mijn wil zo onbuigzaam als een rotsblok.

Ik ging aan het werk, ik oefende mijn trucs en mijn grappen en die avond had ik meer succes dan ooit. Het publiek klapte tot het bloed van hun handen spetterde en ik moest zo vaak buigen dat de rug van mijn jasje in één avond versleten was.

Dat hielp.

Applaus is zoeter dan honing en sterker dan wijn, en ik voelde me onmiddellijk een stuk beter. Ik durf zelfs te zeggen dat ik met een tevreden glimlach in slaap viel. Ik had warempel zin om morgen weer aan de slag te gaan.

Aan de slag? Nee, méér dan aan de slag. Ik wierp me op mijn werk, ik ging tekeer als een bezetene, ik leefde nog maar voor één ding: het applaus aan het eind van de dag. Ik dacht aan niets anders meer dan aan mijn optredens. Vergeten was de Grote Detective, vergeten waren Ekster en mijn paleis en de barones en mijn vrienden Aegolius en Hendrik Houwdegen. Ik was alleen nog maar bezig met grappen verzinnen en trucs oefenen. De meeste goochel-

trucs zouden mij nooit lukken, dat wist ik wel, maar ik wilde ze op precies de goede manier laten *mis*lukken. En dat is eigenlijk nog moeilijker. Maar ik hield vol tot het ging zoals ik wilde.
Het publiek vond het prachtig. Roem! In grote letters stond mijn naam overal aangeplakt. Avond aan avond zat de reusachtige tent barstensvol. En nog was het niet genoeg voor me. Iedere seconde van iedere dag werkte ik aan mijn optreden, en ook de halve nacht. Vaak stond Merula bezorgd naar me te kijken, want ik was bleek en mager aan het worden. Ook madame Ulula was bezorgd, en zelfs de leeuwentemmer kwam na een paar weken langs om voorzichtig te zeggen: 'Hoho, ouwe jongen, genoeg is genoeg, doe maar kalm aan, het publiek kan toch niet meer van je houden dan het nu al doet.'
Hij had het verkeerd begrepen. Ik deed het niet voor het publiek. Wat kon mij het publiek schelen, met hun gelach en geklap? Ik deed het voor mezelf. Hard werken is een goed medicijn voor mensen met zorgen. Zolang ik het druk had, kon ik niet denken aan Ekster en de detective en alles wat ik verloren had. Maar dat kon ik de temmer niet uitleggen. Eigenlijk wist ik het zelf niet eens.

Het is volkomen normaal om door hard werken
je zorgen te vergeten. Eigenlijk kun je wel zeggen
dat iedereen die te hard werkt, dat doet
vanwege een verborgen verdriet.
Of angst of woede of zo.

Ik heb eens een minister gekend die elke dag
de hele dag staatszaken deed en 's avonds uitgeput in bed viel.
Zo wilde hij vergeten dat zijn huis was afgebrand
en dat lukte hem ook.
Behalve 's morgens, bij het opstaan.
Dan kreeg hij, elke dag weer, de schrik van zijn leven -
omdat hij wakker werd in een volkomen verkoolde slaapkamer.
Daarna ging hij gauw aan het werk en vergat het weer.

Ik was zo druk met mijn gegoochel dat ik het niet eens merkte als de tent werd afgebroken aan het eind van de week. Terwijl het circus verhuisde naar een andere wijk zat ik in mijn wagen en oefende. Pas na een paar maanden vroeg ik verstrooid aan de vogeltemmer: 'Zeg, ik heb in de aantekeningen van Torgos een truc gevonden die zonder pinken kan. Het is een truc met een sneeuwman. Die wil ik graag eens uitproberen, maar het wordt aldoor geen winter. Hoe komt dat?'

De brave kerel glimlachte en zei: 'Het *is* winter, maar we hebben net als de vogels gedaan. We zijn naar het zuiden gereisd. Sneeuwmannen kunnen hier niet bestaan.'

Ik keek om me heen en zag dat we waren beland in een wijk van witte huizen met platte daken en tuinen met klaterende fonteinen. Het rook naar kamperfoelie en komijn. Op de pleinen stonden palmbomen. Veelkleurige vogels vlogen kwetterend door de lucht en aapjes vlooiden elkaar in de dakgoten.

'Juist ja,' zei ik. 'Heel zuidelijk allemaal. Goed. Geen sneeuwmannen dus. Jammer.' En ik ging verder met de voorbereidingen voor mijn optreden van die avond.

Ik wist toen nog niet dat het mijn laatste optreden als goochelaar zou worden.

’s Avonds stond ik achter het gordijn te luisteren. Dat deed ik altijd; dan kon ik van tevoren al horen wat voor publiek er zat. Waar zitten de mensen die snel in de lach schieten? Waar zitten degenen die schrikken van flitsen en knallen? Waar zitten de lui die onder de indruk raken en hardop ‘oooh’ roepen? Dat soort dingen moet een artiest allemaal weten. Het publiek is een instrument dat iedere avond anders gestemd is. En wie een instrument wil bespelen, moet weten hoe de snaren lopen.
Ik was een meester geworden in het begrijpen van mijn publiek. Ook al zaten er tweeduizend mensen in de tent, ik kon binnen vijf minuten zeggen wat voor mensen het waren *tot op de man nauwkeurig*. Ik wist bijvoorbeeld: op rij twaalf, stoel negenendertig, zit een man die eens flink wil lachen vanavond, omdat zijn leven zo saai is. Of: helemaal achterin zit een schoolklas, die alleen maar wil kletsen met elkaar.
Maar vanavond was er iets vreemds. Ik voelde het al toen ik achter het gordijn stond. Er waren vandaag mensen, die niet voor het circus kwamen. Ze kwamen voor iets anders, maar voor wat? Ik kon het niet ontdekken, en daar werd ik een beetje zenuwachtig van.
Mijn optreden begon en iedereen vond het leuk. Behalve die raadselachtige mensen. Ik had al snel door waar ze zaten: op de derde rij. Midden voor.
Vanuit mijn ooghoeken probeerde ik een glimp van hen op te vangen.
Ik schrok me kapot. Want daar zag ik een gekrulde snor met een kurk eraan.
Het was mijn oude commissaris! En naast hem zat niemand anders dan Hop de Krukkenman.
Ze hadden me gevonden.

15 VIJFTIENDE HOOFDSTUK
waarin ik gewaarschuwd word

Natuurlijk hadden ze me gevonden. Mijn naam stond op affiches zo groot als staldeuren, aangeplakt tot in de wijde verte. Iedereen sprak over mij en alle kranten schreven hoe geweldig ik was.
Het was niet zo'n heel goede manier van verstoppen.
Wat Hop hier kwam doen, was wel duidelijk. Hij wilde mij

terugbrengen naar de Bedelkoning. Maar waarvoor kwam de commissaris? Het duurde even voordat ik mij herinnerde dat ik de tweeënveertig onschuldigen nog een hele smak geld moest betalen. Die poen kwam de commissaris nu halen, begreep ik.
Naast de commissaris en Hop zat een man die ik eerst niet herkende. Het was een ziekelijk bleke man met witblonde haren. In zijn lichtgrijze ogen glom een afschuwelijke haat.
Het was graaf Torgos, de vorige goochelaar.
Hoe die drie elkaar gevonden hadden, wist ik niet. Wel begreep ik, dat ik maar beter uit hun handen kon blijven.
'En dan nu, dames en heren,' kondigde ik aan, 'mijn meest ongelooflijke truc. Uit deze hoge hoed zal ik tevoorschijn toveren: geen konijn, geen duif, maar... een complete olifant! Let op!'
Ik tastte met mijn hand rond in mijn hoed. Er zat geen olifant in. Ik trok een bezorgd gezicht. Het publiek lachte. Ik begon steeds wilder te zoeken. Het publiek lachte nog harder.
Zenuwachtig keek ik in mijn mouw. Ook daar zat geen olifant in. Het publiek schaterde. 'Vergeten,' schrok ik. 'Ik ben vergeten de olifant in mijn mouw te doen!' Het publiek gierde het uit.
'Even wachten, dames en heren,' zei ik. 'Ik moet even een olifant in mijn mouw doen.' Ik rende het podium af en het publiek bleef giechelig zitten. Ze waren benieuwd met wat voor gekkigheid ik nou weer terug zou komen.
Pech voor hen: ik zou helemaal niet terugkomen. 'Merula,' riep ik, 'snel, naar de koets! We vertrekken! We hebben geen seconde te verliezen!'
'Wat is er dan?' vroeg Merula.

'We gaan een goochelaar laten verdwijnen. Grote truc, en er is haast bij.'
'Waarom?'
'Hop,' hijgde ik. 'De Krukkenman zit weer achter ons aan. En de commissaris en graaf Torgos zijn bij hem.'
De slimme Merula begreep mij meteen en holde achter me aan. Naast onze woonwagen stond de koets, en naast de koets stond madame Ulula. Die riep haastig: 'Maak je geen zorgen, lieve jongen. Vlucht naar het zuiden, dan zal alles goed komen! Je zult er gouden bergen vinden, dat heb ik in je hand gelezen.'
'Bespaar me je hocus-pocus,' bromde ik, terwijl ik de paarden voor de koets spande. Ik klom op het voorste paard, Merula klauterde de koets in en we vertrokken.
'Tot ziens, lieve jongen!' riep madame Ulula. 'We zullen elkaar weer ontmoeten bij de Witte Kerk! Heb ik gelezen...'
Ik luisterde niet naar haar. Dat er tranen in haar ogen blonken, zag ik al helemaal niet. Ik was veel te druk met ontsnappen. Als een stormwind vlogen de paarden door de stille, nachtelijke straten van Duim.

Het waren snelle paarden,
maar ze konden niet tippen aan mijn lievelingspaard,
de onvergelijkelijke Gierzwaluw.
Ooit schoot ik vanaf Gierzwaluws rug op een dik everzwijn,
dat in de struiken verborgen zat - tenminste, dat dacht ik.
Pas na het schieten ontdekte ik dat ik me vergist had:
het was geen zwijn geweest,

maar mijn goede vriend Hendrik Houwdegen.
Wanhopig gaf ik Gierzwaluw de sporen.
Het slimme beest begreep meteen
wat er van hem verwacht werd en rende hard
genoeg naar voren om de kogel in te halen!
Maar een kogel inhalen is één -
hem vinden is een tweede.
Die dingen zijn vrij klein en ik slaagde
er helaas niet in hem te ontdekken.
Ik gaf mijn paard nog eens extra de sporen,
zodat ik ruim vóór de kogel bij Hendrik arriveerde
en tijd genoeg had om hem opzij te sleuren.

We reden naar het zuiden. Niet omdat ik hoopte daar de gouden bergen te vinden die madame Ulula mij beloofd had, maar omdat de weg toevallig die kant op liep. Ik had geen plan. Ik had trouwens ook geen geld. En geen schone kleren. We hadden helemaal niets meegenomen in onze haast. In de zak van haar schort vond Merula nog wat kleingeld, overgebleven van het boodschappen doen. Dat was alles.
We kochten vier broden en twee handen vol olijven. Daar aten we van en we sliepen in de open lucht. Een goedkope manier van reizen, dat wel, maar Merula viel soms flauw van de honger en zelf voelde ik me ook wat slapjes. Na vijf dagen was alles helemaal op.
'Merula,' zei ik, 'we moeten iets verzinnen.'
'Ja,' mompelde ze zwakjes, 'maar wat?'
'We moeten geld verdienen om te eten. Bedelen kunnen we niet - dan krijgt Hop het zeker te horen. We kunnen natuurlijk onze koets verkopen, maar dat kun je maar één keer doen. Bovendien kunnen we dan niet verder vluchten. En als we lang op dezelfde plaats blijven, zijn we verloren.

De commissaris en graaf Torgos zijn twee slimme kerels, en ze zullen ons vast en zeker vinden. Een baantje kunnen we dus ook niet zoeken.'
'We moeten ons verstoppen,' zei Merula.
'Dat is makkelijk gezegd, lieve kind. Maar waar zouden we veilig zijn?'

Het antwoord op deze vraag
is natuurlijk gemakkelijk genoeg.
We hadden gewoon de stad uit kunnen vluchten.
Naar zee gaan, een schip zoeken en Duim verlaten.
In een ander land, ver van hier, een nieuw leven beginnen.
Dan waren we volkomen veilig geweest.
Je moet bedenken: Duim is een immens grote stad,
zo vreselijk gigantisch dat je er alles kunt vinden
wat je maar bedenken kunt.
Je kunt er je hele leven in ronddwalen
zonder ook maar één keer in een straat te komen,
waar je al eerder geweest bent.
Daarom denken de inwoners van Duim
vaak dat er buiten hun stad niets bestaat.
Ze vergeten domweg de rest van de wereld.
Torgos, de commissaris en Hop waren alledrie
rasechte Duimelaars
en ze zouden nooit op het idee
zijn gekomen ons buiten de stad te zoeken.
Helaas waren Merula en ik ook rasechte Duimelaars
en we kwamen dus niet op het idee, de stad te verlaten.

'Oh lieve, dierbare meneer Falco,' riep Merula. 'U bent altijd zo goed voor mij geweest. U heeft me eten gegeven en onderdak en u heeft me alles geleerd wat ik weet. Ik ben zo gelukkig dat ik nu iets kan doen, om u te bedanken! Ik weet waar we ons kunnen verbergen. En het mooie is, dat u me dat zelf geleerd hebt. Weet u nog, dat u me les hebt gegeven in aardrijkskunde?'
'Ach lieve kind, ik heb je les gegeven in alles wat een mens maar weten kan.'
'Precies! En ik ben u daar heel dankbaar voor. Maar weet u nog, dat u mij vertelde over de grote parken in de zuidelijke wijken? Parken zo groot dat mensen erin verdwalen en nooit meer worden teruggevonden? Parken die zo groot zijn dat er gefluisterd wordt over wilde stammen, in de binnenlanden, die nog door niemand ontdekt zijn?'
Vol bewondering riep ik: 'Lieve Merula, ik begrijp wat je wilt zeggen, en het is een *fantastisch* idee! We kunnen een hut bouwen in het bos, en leven van de jacht op wilde neushoorns. Hop en de anderen zullen ons daar nooit of te nimmer vinden. Jij bent werkelijk geniaal, wist je dat?'
Ze sloeg de ogen neer en zei bescheiden: 'U bent te goed voor me, meneer Falco. Het was zomaar een ideetje. Ik kwam erop, doordat we zojuist vlak langs een van die grote parken kwamen gereden. Echt, iedereen had het kunnen verzinnen.'
'Kom kom,' zei ik grootmoedig. 'Het lag dan misschien erg voor de hand, maar daarom is het nog geen slecht idee.We gaan het onmiddellijk doen. We verkopen onze koets, dan hebben we geld zat voor wandelschoenen. En voor eten, drinken, en... nou ja, misschien hebben we ook nog wat andere spulletjes nodig.'
Er was een winkel aan de rand van het park. Alles wat je no-

dig had voor een parkwandeling, was daar te koop: wandelwagens, parasols en picknickmanden, maar ook bergschoenen, pikhouwelen, lantaarns, muskietennetten, geweren, kompassen, uitvouwbare kano's en nog veel meer.
'Dag beste man,' zei ik tegen de winkelier. 'Ik wil graag van alles twee. Kan ik het ruilen voor een koets met paarden?'
'Tja,' zei de man. 'Het *kan* wel. Maar ik zou het niet doen, als ik u was.'
'Wat krijgen we nou? Een winkelier die geen spullen wil verkopen?'
'Ach meneer,' zuchtte de winkelier. 'Ik ben een slechte koopman, maar een goed mens. Ook al boor ik mezelf een mooi handeltje door de neus; ik wil u waarschuwen. Wie te diep het park in gaat, komt er niet meer levend uit. Ik heb er al zoveel mensen heen zien gaan. Jonge, sterke kerels. Sommigen in hun eentje, sommigen met z'n honderden tegelijk. Niet één is er teruggekomen. Ze zeggen...' Hij boog zich naar ons voorover en fluisterde: 'Ze zeggen dat er diep in het park een volk van wilde menseneters woont. Wie een dag naar het zuidoosten reist, komt bij een rivier. Daarachter wonen ze: het volk van Marabu. Als u die rivier oversteekt, bent u verloren. De Marabus zullen aan uw gebeente kluiven.'
'Dat klinkt goed,' zei ik glimlachend.

16 ZESTIENDE HOOFDSTUK
waarin ik een woudloper word

'Je moet het zo zien,' zei ik voor de zoveelste keer tegen Merula, terwijl we ons een weg baanden door de woeste planten van het oerwoud. 'Als we die rivier oversteken, zijn we veilig. Dan zullen ze ons niet langer achtervolgen. Ze zullen denken: het heeft geen zin, Falco is al opgegeten door de Marabus.'

'Ja maar,' zei Merula. 'Die Marabus *gaan* ons toch ook opeten? Dat is toch niet veilig voor ons?'

'Kom kom, meisje,' zei ik goedmoedig. 'Je moet niet overal een probleem van maken hoor. Anders wordt alles ingewikkeld. Hela! Wat hoor ik daar?'

Ik hoorde daar natuurlijk van alles, want we liepen door het oerwoud en daar is het nooit of te nimmer stil. Er was een voortdurend gekwetter, gefluit, geschreeuw en gesis van apen en vogels en slangen en beesten zonder naam, en

hagedissen twee keer zo lang als je arm. Er was vooral veel gezoem. Zoemend vlogen de honderdduizenden insecten van het oerwoud rond onze hoofden. Muggen zo klein als zandkorrels, bijen zo groot als je vuist, en alles ertussenin. Ze prikten en beten en zogen ons bloed. Ze kropen in onze mouwen, onze neus en onze mond.
'Eén van die beesten zit me toch te zoemen,' zei ik, 'dat is werkelijk niet normaal meer. Maakt meer herrie dan een fanfare. Oh, wacht eens - hij zit in mijn oor. Daarom lijkt het zo hard. Hup, d'r uit jij!' Maar het beest bleef zitten waar het zat, hoe hard ik ook peuterde.
'Zou er geen insectenspul in onze bagage zitten?' vroeg Merula.
'Spul? Hoezo, spul?'
'Nou, vergif of zo.'
'Natuurlijk! Dat ik daar niet aan gedacht heb!'
Ik tilde de hele lading van het ezeltje af en ik begon te zoeken. Het enige wat ik vond was een paar vierkante houten doosjes, waarop stond:

INSECTWEG

de natuurvriendelijke insectenverdelger

'Daar hebben we dus niets aan,' zei ik. 'Het spul moet niet vriendelijk zijn; daar komen die beesten juist op af. Het moet natuur*on*vriendelijk zijn. Zo enorm onvriendelijk dat je er dood van gaat.'

Iemand doodmaken, dat doe je meestal niet uit vriendelijkheid. Toch komt het af en toe voor dat een teveel aan vriendelijkheid ook dodelijk is.

Een bekend voorbeeld hiervan is Krachtige Kees, de Knuffelbuffel. Kees was het liefste dier van de hele dierentuin. Hij vond niets zo heerlijk als in de zon liggen en geaaid worden. Net als een poes.
En net als een poes aaide hij terug, door kopjes te geven.
Helaas was Krachtige Kees geen poes; hij was een buffel van duizend kilo zwaar, en zijn hoorns waren vlijmscherp.
Tientallen oppassers en bezoekers heeft hij gespietst en doodgekopt, totdat de dierentuin een bordje plaatste met de tekst:
Pas Op! Lieve Buffel! Levensgevaarlijk!

Ik wilde de doosjes wegsmijten, maar Merula zei: 'Laten we in ieder geval even kijken. Verdelger is verdelger; zo heel vriendelijk kan dat goedje niet zijn.'
Ik maakte één van de doosjes open. Tot mijn verbazing zat er helemaal geen spul of goedje of gif in. Er zat een vogeltje in. Een piepklein, gitzwart vogeltje met een vlijmscherp snaveltje en razende vleugeltjes. Het vloog onmiddellijk naar buiten en begon insecten te vangen.
Het was een ongelooflijk gezicht. Ik heb nooit een levend wezen gezien dat zó snel bewoog. Mijn paard Gierzwaluw, dat een geweerkogel kon inhalen, leek bij vergelijking niet meer dan een versufte schildpad. Het vogeltje wentelde en zwenkte, links-rechts hoog-laag, in bochten scherper dan de punt van een degen, en ondertussen snavelde het tientallen zoembeestjes uit de lucht. De meeste daarvan at hij op, maar het was werkelijk een heel klein vogeltje en sommige insecten waren te groot voor hem. Die stak hij dood met zijn snavel. Al snel prikte hij heel precies de zoemerd uit mijn oor, zonder mij ook maar het kleinste beetje pijn te doen; daarna waren de insecten op. Het vogeltje wilde

het oerwoud in vliegen, op zoek naar meer. Maar hij zat met een dun gouden kettinkje vast aan zijn doosje, dus hij moest bij ons in de buurt blijven. We maakten de doosjes met een speciaal klik-dingetje vast aan onze riemen en zo bleven wij vrij van insecten op de rest van onze reis.
Ik liep voorop en hakte een weg door de slingerplanten en de struiken met hun prachtige, giftige bloemen. Achter mij liep Merula en daarachter het ezeltje met alle bagage.
's Avonds kwamen we bij een grote rivier.
'Hier zetten we onze tenten op,' beval ik. 'Morgenvroeg steken we de rivier over. En dan... dan zijn we veilig.'
'Veilig voor Hop de Krukkenman,' mompelde Merula. 'Niet voor de Marabus.'
'Ach, stel je niet aan. Misschien bestaan die Marabus niet eens. Niemand kan het weten; er is nooit iemand teruggekomen.'
Op dat moment hoorden we een onheilspellend getrommel. Het kwam uit de muur van bladeren die oprees aan de overkant van de rivier.
'Nou goed,' gaf ik toe. 'Dan bestaan ze wél. Wat dan nog? Misschien zijn ze wel heel aardig. We zullen het morgen wel zien.'
Maar we zagen het niet, de volgende dag. Niet toen we de kano's in elkaar zetten, niet toen we het ezeltje en de bagage inlaadden, niet toen we de rivier overstaken en ook niet toen we aankwamen op de andere oever. We zagen het zelfs niet terwijl we de hele dag door het oerwoud stommelden. Maar dat was niet zo gek, want de bladeren hier waren zo groot en dik en dicht, dat je geen halve meter ver kon kijken. Zelfs de lucht was niet te zien, noch de gloeiende zon. Er was hier niets anders dan groene schemering; het leek wel de bodem van de zee.

Er zijn maar weinig mensen die ooit de bodem van de zee
hebben gezien. Ik ben één van die mensen.
Ooit heb ik vijftig knappe koppen ingehuurd,
die voor mij een apparaat moesten ontwerpen
waarmee je naar de zeebodem kon gaan.
Gewoon, omdat ik nieuwsgierig was.
Het kostte vier jaar om het apparaat te verzinnen
en nog eens een jaar om het te bouwen.
Vol verwachting daalde ik in mijn ijzeren onderwaterschip
af naar de bodem van de zee.
Daar was echter niets anders te zien dan een soort groene
schemering die precies leek op die in het oerwoud.
Teleurgesteld legde ik een bronzen plaat op de bodem,
met het opschrift 'Baron Falco is hier geweest',
om te bewijzen dat ik er geweest was,
en ik wilde terugkeren naar boven.
Juist op dat moment viel mijn oog op een steen
waar geheimzinnige lettertekens op stonden.
Met veel moeite wist ik de steen aan boord
van mijn onderwaterschip te krijgen.
Het kostte zestig knappe koppen zes jaren
om de mysterieuze boodschap te ontcijferen.
In een taal van onbegrijpelijk lang geleden bleek er te staan:
'Baron Gavia is hier geweest'.

'Lieve help, wat is het hier saai,' mopperde ik na een dag. 'Ik wou dat die Marabus eens langskwamen. Dan gebeurde er tenminste wat.'
Merula staarde somber in het kampvuur.

'Doe eens wat vrolijker,' zei ik, 'we hebben nou al een hele dag gelopen zonder opgegeten te zijn. Dat gaat dus goed. Als we nog een weekje doorlopen, komen we het park weer uit aan de oostkant. Dan denkt iedereen dat we dood zijn. Niemand zal nog naar ons zoeken en we kunnen een nieuw leven beginnen. Over een week zijn we eindelijk vrij!'
'Of we zijn hartstikke dood,' mompelde Merula.
We kregen geen van beiden gelijk.
Aan het eind van de week waren we nog niet opgegeten. Maar we waren ook het park nog niet uit. En een week later ook niet. En twee weken later ook niet. En twee maanden later ook niet. Onze voorraden raakten op en onze kleren hingen als vuile, gescheurde vodden aan ons lijf. We waren mager en vuil. Soms, als we geluk hadden, zagen we een dier tussen de bladeren van het groene schemerwoud. Harige dieren, geschubde dieren, gevederde dieren, trage dikke dieren of felle snelle dieren, gevlekt gestreept gewirrelwarreld, in alle denkbare kleuren. Ik schoot ze allemaal en Merula maakte kampvuurtjes om ze te roosteren. Vele weken lang sleepten we ons door het oerwoud.
'Zijn we misschien een beetje verdwaald?' vroeg Merula op een dag. Ze keek sip.
'Praat geen onzin,' zei ik streng. 'We zijn in een kaarsrechte lijn naar het oosten gelopen. Ik heb het bijgehouden op ons kompas.'
'Maar we hadden er al lang uit moeten zijn! Het lijkt wel of het park ineens twintig keer zo groot is. Dat kan toch niet? Hoe kan dat nou?'
Op dat moment - het leek een antwoord - roffelden de angstwekkende trommels van de Marabus. Verborgen in het onmogelijke oerwoud.
'Toverij,' fluisterde Merula bleek. 'Toverij, dat is het.'

17 ZEVENTIENDE HOOFDSTUK
waarin ik als een god aanbeden word

De trommels dreunden door tot diep in de nacht. De volgende nacht was het stil, maar twee nachten later waren ze er weer. En een week later weer. Ze bleven terugkomen en we bleven door het vervloekte oerwoud dwalen. Toverij, beweerde Merula huiverend.
'Toverij bestaat niet,' wees ik haar terecht. 'Maar eigenaardig is het allemaal wel, dat geef ik toe.'
'Misschien is dat ook met alle anderen gebeurd,' zei Merula.
'Welke anderen?'

'De anderen, die de rivier zijn overgestoken. Misschien hebben de Marabus hen niet opgegeten, maar zijn ze net zo betoverd als wij. Misschien dwalen ze nog altijd rond, in betovering.'
Maar dat was niet zo, ontdekte ik de volgende dag.
Ik struikelde over iets vreemds, iets wat hard was en hoekig en grijs in het ronde, slingerige groen van het oerwoud. Een vierkante steen, half bemost, met letters erin gekerfd. Een grafsteen.

HIER LIGT RALLUS
DE ONTDEKKINGSREIZIGER

stond erop,

DAPPER MAAR VERDWAALD.

'Dat is er dus met de anderen gebeurd,' zei ik. 'Niet betoverd, maar verdwaald.'
We vonden meer van die stenen, nu we wat beter keken. Sommige van honderd jaar geleden, sommige van driehonderd jaar, sommige van tien.
Iedereen die hier was binnengegaan was uiteindelijk omgekomen. Van honger en dorst? Van ouderdom? Ziekte? Of... de Marabus?
De grafstenen begeleidden onze tocht als lugubere wegwijzers. Grafstenen overdag en trommels in de nacht. Nee, het was geen gezellige tocht. Een maand ging voorbij. Lang niet alle dagen ving ik een beest - we konden maar een halve meter ver kijken, per slot. De honger was verschrikkelijk. Uitgemergeld en zwak sleepten we ons naar het oosten, altijd naar het oosten, in een kaarsrechte lijn.
Maar op een dag ontdekte ik een grafsteen die mij deed hui-

veren van ijskoude angst. Ik kon nauwelijks ademen door de afschuwelijkheid ervan. Dit stond op de grafsteen:

HIER LIGT RALLUS
DE ONTDEKKINGSREIZIGER,

DAPPER MAAR VERDWAALD.

We waren in een kringetje gelopen. Misschien al wel honderd keer. En toch waren we steeds naar het oosten gegaan. 'Dit is onmogelijk,' zei ik. 'Vol-ko-men onmogelijk!'

Ik had ongelijk: het was namelijk vol-ko-men wel *mogelijk -*
het was zelfs al gebeurd.
Dat ik ongelijk had, is niet zo vreemd.
Het is algemeen bekend dat mensen, wanneer ze in gevaar zijn, altijd glashard beweren dat het niet zo is.
Daar kunnen ze niets aan doen:
het komt door een soort knoop of kronkel in hun hersens.
De geleerde Aegolius, die niet alleen een groot geleerde was maar ook een kundige dokter,
heeft ooit bij een man die hersenknoop weggehaald.
Gewoon om te zien wat er zou gebeuren.
Wat er gebeurde was dit: de man werd diep ongelukkig.
Niemand wilde zijn vriend meer zijn.
Want als er een aardbeving was, en de mensen zeiden tegen elkaar: 'Alles komt weer goed hoor,' dan zei die man:
'Het komt helemaal niet goed!

Er zijn huizen op de hoofden van mensen gevallen!
Die lui zijn hartstikke plat!'
Dat was allemaal waar en de mensen wisten dat ook wel,
maar ze wilden het niet horen.
Ze werden er zenuwachtig van en
ze begonnen de man te mijden.
Hij stierf eenzaam en berooid.
Zijn laatste woorden waren: 'Zie je wel!'

'Het is niet onmogelijk,' zei Merula. 'Het is toverij.'
'Ach wat, toverij! Het kompas is gewoon stuk. Misschien zit er gewoon veel ijzer in de grond. Een kompas is magnetisch, dat kan daar niet tegen. We hoeven alleen maar van richting te veranderen. Vanaf nu gaan we recht naar het noorden. Niet het echte noorden, maar de richting die het kompas 'noord' noemt. Wandelen we zo het oerwoud uit.'
'Weet u het zeker?'
'Tuurlijk! Kan niet missen!'
Maar het kon wel missen. Het kon zelfs verschrikkelijk goed missen. We dwaalden steeds dieper het woud in, zonder het te weten. We vonden geen weg naar buiten.
We vonden iets anders.
Een open plek.
En op die open plek stonden lemen hutten, met daken van bananenbladeren. Tussen de hutten liepen mensen, klein van stuk en bruin van huid, met monden zo breed als van kikkers. Ze droegen speren met scherp-stenen punten, en bijlen en messen en blaaspijpen; sommigen sloegen op trommels.
Het waren de Marabus.
Ze waren op hun mooist gekleed, met mantels van kleurige vogelveertjes en gouden armbanden en verf op hun lijven.

Het dorp rook heerlijk naar eten en drinken; wildbraad en zoete bonensoep, geroosterde wortels van de zapatl-boom en eieren met gestampte ququq-noot. Lekker zoet, lekker vet, lekker veel: lekker lekker. Er waren allerlei vruchtensappen en zapatl-wijn. Vandaag was het grote feest van de Dondergod, die ieder jaar komt om met zijn donderstaf de Grote Prutl te verjagen. Dan moet de Grote Prutl naar de onderwereld en mag de Dondergod een half jaar de baas zijn. Als het halve jaar voorbij is, komt de Grote Prutl weer terug en dan is het opnieuw feest. Zo gaat het bij de Marabus, jaar na jaar na jaar. Maar dat wist ik allemaal nog niet, op die dag dat Merula en ik uit het oerwoud kwamen gestrompeld.
De Marabus staarden ons nieuwsgierig aan. Ik greep onmiddellijk mijn geweer. Maar wat moest ik met een geweer? Een Marabu overhoop schieten, allicht, maar wat dan? Ik zou geen tijd krijgen om opnieuw te laden. Ze zouden me hartstikke dood gooien met hun speren. En waarschijnlijk hadden hun blaaspijpen giftige pijltjes.
Ik zal ze eens laten zien wat ik kan, besloot ik. Deze mensen weten niet wat een geweer is; misschien snappen ze niet dat ik moet herladen. Ik bluf ons er wel uit. Wie zal ik eens neerschieten... Die grote dikke? Of die kleine gespierde?
Toen zag ik het beeld. Een groot houten beeld van een vogelman met een slangenhals. Het was versierd met kleurige veren en gouden sieraden. Zoveel goud! Kilo's en kilo's. Het beeld stond midden in het dorp, glimmend en goed zichtbaar. En zeer, zeer beschietbaar.
Ik mikte op de lange, dunne nek van de vogelman. Met een oorverdovende knal schoot ik het nekje dwars doormidden. Het hoofd viel splinterend op de grond.
De Marabus staarden mij met grote ogen aan. Zuchtend

zonken ze op hun knieën en ze bogen hun hoofden naar de grond.
'Xolotl,' mompelden ze. 'Xolotl patapuq.'
'Zo is het maar net,' zei ik met een waardige hoofdknik.
Oorverdovend gejuich! 'Xolotl! Xolotl uahu xolococ plepec Pocce Prutl!' - en meer van dat soort kreten. We werden op de schouders genomen en het dorp rondgedragen, op mooie stoelen gezet en volgestopt met lekkere hapjes. Kleurige veertjesmantels werden rond onze schouders gehangen. Wij waren het middelpunt van het feest, tot diep in de nacht, en we mochten in de mooiste hut met de zachtste bedden.
Want het beeld dat ik had stukgeschoten, was de Grote Prutl en de Marabus dachten dat ik de Dondergod was.
'Merula,' zei ik, 'we zijn voor niets bang gemaakt. Die Marabus, dat zijn aardige lui.'

De Marabus waren natuurlijk niet meer of
minder aardig dan om het even welk ander volk.
Ik werd buitengewoon goed behandeld
omdat ze mij voor een god hielden
- maar dat was gewoon een gelukkig toeval.
Je kunt net zo goed pech hebben.
De beroemde ontdekkingsreiziger Sterna werd ooit
door een inlandse stam doodgeknuppeld,
omdat ze hem aanzagen voor de God van het Kwade.
En een ander, Anthus, werd goed behandeld uit medelijden.
De inlanders dachten dat hij een adelaar was,

die door een boze tovenaar in een mens was veranderd.
Die brave lieden probeerden de betovering op te heffen.
'Laten we hem van een berg af gooien,' bedachten ze.
'Dan moet hij vliegen en
dan wordt hij vanzelf weer een adelaar.'
Jammer genoeg was Anthus geen adelaar:
hij viel verschrikkelijk te pletter.

In de dagen die volgden zag ik met groot plezier hoe Merula langzaam wat sterker werd. Het arme kind had veel te lijden gehad van alle honger en ellende. In het dorp van de Marabus kon ze slapen zoveel als ze wilde, en onze gastheren kwamen voortdurend met allerlei voedzame lekkernijen aanzetten. Het duurde niet lang of ze was weer blozend, stevig en gezond.
'Oh meester,' zuchtte ze, 'kunnen we hier niet voor altijd blijven? Het is hier zo heerlijk!'
'Ik ben blij, dat je gelukkig bent,' zei ik met mijn vriendelijkste glimlach. 'En we zullen hier net zolang blijven als nodig is. Maar als we allebei weer sterk zijn, moeten we hier weggaan. Want ik zal pas tevreden zijn als ik Ekster heb gevangen. Zijn dieverijen mogen niet ongestraft blijven, dat begrijp je toch wel?'
'Jawel,' sprak zij gehoorzaam. 'We zullen morgen vertrekken als u dat wilt.'
Maar we zouden nog maandenlang bij de Marabus blijven, want de volgende dag deden we een verbijsterende ontdekking.

18 ACHTTIENDE HOOFDSTUK
waarin ik de rijkste man aller tijden word

De volgende dag laadden we alle bagage op ons ezeltje. De Marabus stonden er ongerust naar te kijken. Uiteindelijk kwam er eentje naar ons toe, een dik mannetje met een indrukwekkende kroon van kleurige veren en goud. Hij begon onverstaanbaar tegen ons te brabbelen, met een hoop Xolotl dit en Plocce Prutl dat, met brede gebaren en plechtige ogen.

'Jaja,' zei ik, 'groot gelijk heb je, maar Xolotl gaat een eindje wandelen. Xolotl gaat boeven vangen. Boe-ven van-gen, snap je?' Hij knikte tevreden en ik knikte tevreden; we verstonden elkaar nog steeds niet, maar we deden allebei alsof en dat was ook wat waard. Hij wachtte keurig tot alles ingepakt was, wenkte ons en begon voor ons uit te lopen.

Het leek vaak of de Marabus mij verstonden.
Dat verbaasde mij, want ik snapte van
hun gebrabbel geen bal. Later ontdekte ik dat ze heel goed
waren in het begrijpen-wat-iemand-ongeveer-bedoelt.
Ze keken naar de uitdrukking op je gezicht,
naar je gebaren, ze luisterden naar je stem -
en daarna gokten ze wat je ongeveer bedoelde.
Ze gokten verbijsterend vaak goed.
Nog weer later ontdekte ik dat ze niet alleen
mij niet verstonden, maar ook elkaar niet.
Ze hadden helemaal geen taal! Ze brabbelden maar wat, en
dan rekenden ze op het begrip van hun mede-Marabus.
Volgens taalkundigen kun je op deze manier helemaal
niet met elkaar praten, maar de Marabus vertelden mij
dat het al honderden jaren uitstekend werkt.
Althans - ik denk *dat ze mij dat vertelden;*
ik weet het natuurlijk niet zeker.

'Waar brengt hij ons heen?' vroeg Merula bezorgd.
Ik keek op het kompas. 'Naar het noorden, zo te zien.'
'Ik snap niet dat u dat betoverde kompas nog steeds vertrouwt,' zei ze.
'Ach, onzin, betoverd... het is gewoon van slag. Door ijzer in de grond, of een ander metaal.'
'Goud,' piepte Merula hees.
'Ja, bijvoorbeeld,' zei ik.
Merula staarde bleek naar iets achter mij, en ze wees met een trillende vinger. 'Goud,' herhaalde ze, en ze zakte in

elkaar als een laken zonder spook erin. Compleet flauwgevallen.
Langzaam draaide ik me om en keek. Ik moest moeite doen om niet zelf van mijn stokje te gaan. Want achter me hield de begroeiing van het oerwoud op en begon een machtig gebergte. De spitse toppen reikten tot de wolken, er waren steile afgronden en rotsblokken groter dan kastelen. Alleen: deze bergen waren niet van steen.
Ze waren van zuiver goud.
'Aha,' mompelde ik zwakjes. 'Vandaar die toestand met het kompas.'
'Squetz,' knikte de Marabu trots.
Deze vondst veranderde alles. De Marabus geloofden dat ik een god was, en daarom gaven ze mij alles waar ik maar om vroeg. Wilde ik het gouden gebergte hebben? Dan kreeg ik het gouden gebergte toch zeker! Geen probleem! Wilde ik dat ze een pad door het oerwoud hakten, naar de bewoonde wereld? Dan kwam er een pad. En het pad werd een weg en over die weg reden al gauw grote karren. Karren met goud, op weg naar de rand van het park, waar de grote stad Duim begon. En uit de grote stad namen de karren mannen mee terug, en metselspullen, en stenen om een brug over de rivier te bouwen. En daarna werd er een paleis gebouwd, een geweldig paleis met tweeduizend kamers, met daken van goud en - waarom niet? - ramen van diamant. Iedere Marabu kreeg een eigen kasteel. De mooiste, zachtste kleren voor iedereen, en de allermooiste en allerzachtste voor Merula en mij.
'Is het niet ongelooflijk?' vroeg Merula.
'Nou en of,' lachte ik. 'Een gouden gebergte! Wie had dat gedacht?'
'Dat is het nou juist,' zei Merula. 'Madame Ulula! Die had

dat gedacht! Weet je niet meer wat ze zei? Als je naar het zuiden zou reizen, zou je gouden bergen vinden!'
'Ach ja, dat is ook zo... Had ze alweer gelijk. Nou, het was een knappe handlezeres, dat is zeker. Maar nu heb ik geen handlezeres meer nodig om onze toekomst te voorspellen. Ik hoef alleen maar naar mijn gouden bergen te kijken, en dan weet ik: het zal ons nooit aan iets ontbreken, lieve Merula.'
'Ik wou dat het waar was, meester Falco,' zuchtte Merula. 'Er kan altijd een ongeluk gebeuren, of een ziekte, en dan kan uw goud ons niet helpen.'

Natuurlijk had Merula daar eigenlijk gelijk in.
Denk alleen al aan het voorbeeld van hertog Ardea,
die niet alleen heel rijk was, maar ook heel gezond.
Hij was een groot kampioen in het verspringen en hardlopen.
Helaas trapte hij op een dag in een roestige spijker.
Zijn hele been werd dik - daarna rood - toen paars.
Ten slotte werd het zwart, en de dokter zaagde het af.
Ardea liet een gouden been maken.
Daar zat een knappe springveer in,
waarmee hij nog verder kon springen dan eerst.
Helaas sprong hij, bij een vriendschappelijk wedstrijdje,
verder dan hij zelf voor mogelijk had gehouden.
Hij kwam in een diepe vijver terecht
en zonk reddeloos naar beneden.
Zijn been kon dan wel prachtig springen,
zwemmen kon het niet.

Bovendien was het van puur goud en
dat is haast net zo zwaar als lood.
Zo stierf de hertog aan zijn eigen rijkdom.

'Daar moet je niet moeilijk over doen,' zei ik luchtigjes, 'anders wordt alles maar ingewikkeld. Kijk liever eens naar deze landkaart.'
'Welke landkaart?'
Ik had een kaart gemaakt, met daarop allerlei straten, huizen, bruggen, grachten enzovoort. Die bestonden allemaal nog niet; ik wilde ze laten bouwen. Een heel nieuwe stadswijk, een nieuwe wijk van Duim, de mooiste, grootste, duurste en deftigste wijk van allemaal.
'Die komt hier te staan, Merula,' zei ik trots. 'Hier, waar nu nog een woest oerwoud is. En het mooiste is: elke wijk heeft een baron nodig. En wie oh wie, Merula, wie zou die baron toch worden?'
Ja, ik had het prachtig uitgedacht. Het is natuurlijk ook makkelijk denken, als je gouden bergen hebt. Voor ieder probleem is er een oplossing. Is je paleis gestolen door een Meesterdief? Koop je gewoon een nieuw paleis. Huppetee, waarom zou je moeilijk doen. Het was mijn lot om baron te worden, dat bleek nu maar weer eens. Het was gewoon niet tegen te houden. Zelfs niet door een Meesterdief. Ekster kon de pip krijgen. Ik hoefde zijn miezerige Vogelwijk niet meer. Ik werd lekker baron in mijn eigen wijk. Falcoburg zou ik die noemen, en het zou een prachtwijk worden waar alle edelen jaloers op zouden zijn.
Tevreden wandelde ik rond.
Elke dag werden er stukken oerwoud omgezaagd, huizen gebouwd, straten aangelegd. Torens en markten, kerken, ziekenhuizen en gevangenissen. Ik stuurde omroepers op

pad, die iedereen moesten vertellen over de mooie nieuwe wijk Falcoburg. Want een baron heeft onderdanen nodig. En mijn Marabus waren dan wel reuze onderdanig - ze dachten nog altijd dat ik een god was - maar ze waren met te weinig. Ik wilde meer mensen hebben.
Nou, die kreeg ik ook. Vanuit heel het onafzienbare Duim stroomden ze toe. Handwerkers, kooplui, brandweermannen, dokters, soldaten, kroegbazen, godsdienaren en alles wat je verder nodig hebt om de boel op gang te houden. Ze kregen allemaal een zak met goud en een fonkelnieuw huis.
Dat vonden ze heel prettig. Ze schreven brieven naar hun familie en vrienden, om het te vertellen. Die wilden ook wel; ze lieten hun huizen achter en gingen op weg naar Falcoburg. Elke dag kreeg ik er duizenden nieuwe onderdanen bij. Ik gaf hun allemaal een zak goud en een huis.
Maar op een dag stonden er vier mannen voor mijn neus, die geen goud wilden. En evenmin een huis.
'We willen jou,' zeiden ze.
De kleine, dappere Merula ging beschermend voor mij staan. 'Jullie krijgen hem niet,' gilde ze woest tegen de vier bezoekers.
Toen pas zag ik wie het waren.
Hop de Krukkenman. De politiecommissaris. Graaf Torgos de Tweede. De leeuwentemmer.
De leeuwentemmer had Goudklompje bij zich. Het beest brulde vervaarlijk en liet zijn tanden zien: twee rijen glanzend witte dolken. Hop liet zijn stiekeme zwaarden zoeven. Torgos goochelde uit zijn mouw een kanon met brandende lont tevoorschijn. De commissaris keek me ijzig aan en zei: 'Ik arresteer u in naam der wet.'

19 NEGENTIENDE HOOFDSTUK
waarin ik van mijn zorgen bevrijd word

Ik sprong op van mijn troon. Met een wilde glimlach stapte ik langs Merula en liep op de commissaris af. Enthousiast schudde ik hem de hand.

'Daar hebben we die brave commissaris!' jubelde ik. 'Wat leuk dat u mij hier komt opzoeken! Ik heb veel aan u gedacht - ik wilde u een brief schrijven - u weet hoe het gaat met dat soort dingen. Je sticht eens een wijkje, je deelt eens een paar duizend handjes vol goud uit... Druk, druk, druk! En dan schiet zo'n brief er een beetje bij in, nietwaar? Dus ik ben werkelijk dolblij dat u er bent. En jij ook, beste Hop! Doe die prikkertjes toch weg, ouwe reus, straks bezeer je nog iemand en dan is het huilen geblazen. Hetzelfde geldt voor dat kanon, mijn waarde Torgos. Is-ie geladen? Oppassen hoor! Die dingen kunnen plotseling afgaan - voor je 't

weet gaat er wat stuk.' Ik spuugde op mijn vingers en kneep sissend de lont uit. 'En daar hebben we warempel mijn oude vriend de leeuwentemmer! Zeg me toch wat ik voor jullie kan doen, kameraden! Ik sta te popelen, werkelijk te popelen om jullie een pleziertje te bezorgen.'
Onder het praten beende ik van de een naar de ander. Ik sloeg hen op de schouders, kneep in hun wangen, gaf knipoogjes enzovoort. De vier stonden verbijsterd naar me te kijken. Ook Merula zette grote ogen op. Zulke overdreven vriendelijkheid was ze van mij niet gewend. En dat nog wel tegen mijn grote vijanden! Maar ik kon het niet helpen; ik had enorm veel zin in de rest van het gesprek.
'U weet heel goed waar ik voor kom,' zei de commissaris stram. 'Het geld. De schadevergoeding voor de tweeënveertig onschuldigen. Uw handen en uw schouderklopjes hoef ik niet.'
'Is dat alles?' zei ik. 'Als het anders niet is...' Ik klapte in mijn handen. Een lakei kwam binnen, een Marabu met een witte pruik en een stijve rode jas.
'Haal even een brokje goud voor deze meneer, wil je?'
De lakei knikte, boog en verdween. Even later kwam hij terug, met een kruiwagen waarop een groot gouden rotsblok lag.
'Kijk eens aan,' zei ik. 'Genoeg om tien keer tweeënveertig onschuldigen van te betalen. En dan hou je nog over. Afijn, wat je niet nodig hebt, hou je gewoon lekker zelf. Voor de moeite. Of je geeft het aan het goede doel.'
De commissaris staarde naar de reusachtige goudklomp. Hij keek alsof hij elk moment kon omvallen. Ik klapte opnieuw in mijn handen, wat nergens voor nodig was want de lakei stond er nog. Maar het is zo'n heerlijk, baronachtig gebaar. Ik was nog geen baron - de keizer moet je eerst benoemen - maar ik wist zeker dat ik het snel zou worden.

'Haal nog eens drie van die dingen,' beval ik. De lakei verdween.
'Wat zeg je ervan, Hop?' grijnsde ik. 'Meer goud dan ik in mijn hele leven bij elkaar kan bedelen. Mag je zo meenemen. En jij, mijn beste brave leeuwentemmer, hoeft nooit meer bezorgd te zijn of er wel genoeg publiek komt. Je kunt het publiek zelfs betalen om te komen, als je wilt.'
Ten slotte keek ik naar Torgos.
'Goud genoeg,' fluisterde ik, 'goud genoeg om je paleis terug te kopen. Dan kun je weer een echte graaf zijn, net als je voorvaderen. Maar...' (Ik ging nog zachter fluisteren) 'dan moet je wel iets voor me doen. Je moet iets voor me maken...' Ik fluisterde hem in het oor wat ik wilde hebben, zó zachtjes dat niemand het kon horen.
Hij knikte.
'Dat kan ik wel,' zei hij kalm.
'Prachtig,' glunderde ik. 'Dan krijg je net zoveel goud als de anderen. Ik maak jullie stinkend rijk, vrienden!'

Later ontdekte ik, dat ik mijn vier achtervolgers helemaal niet rijk gemaakt heb. Goud is namelijk alleen maar zo duur, omdat het erg zeldzaam is.
Maar toen ik mijn gouden bergen aan iedereen begon uit te delen, was goud opeens niet zeldzaam meer.
Daardoor was het ook niet duur meer.
Dus je kon er niets meer voor kopen.
Een tijd lang wisten de mensen van gekkigheid niet meer wat ze met hun goud moesten doen.

Ze maakten er knikkers van voor hun kinderen.
Ze legden het onder wiebelende tafelpoten.
Ze smeten het in het water om golfjes te maken,
bijvoorbeeld als hun hoed in de vijver was gewaaid.
Het enige wat ze er niet mee deden was: betalen.
Dat kon alleen nog maar met zilvergeld.

Nu was ik helemaal vrij van zorgen. De ruzie met Ekster, de Algapper, kon ik voorgoed achter me laten. Hop en de commissaris lieten me met rust, nu ze hun gouden rotsblokken hadden. Torgos was bij me in dienst gekomen, om mijn geheime plannetje uit te voeren. Daarna zou hij ook een goudklont krijgen. Misschien ging hij zijn paleis terugkopen, misschien bleef hij goochelaar; mij maakte het niets uit.

Ook de leeuwentemmer kwam bij me in dienst. Die had ik nodig voor een ander plan.

Van mijn oerwoud was niet veel meer over. De statige bomen, de ranke lianen, de bloemen en de kleurige vogels hadden plaats gemaakt voor straten, pleinen en talloze huizen, alles keurig netjes recht en betegeld. Alleen de zoembeesten waren gebleven, vliegend, prikkend en kwalijke ziektes verspreidend. Maar je moet niet overal een probleem van maken.

Alle wilde beesten uit het oerwoud waren in de laatste stukjes bos bij elkaar gekropen. 't Was daar zo druk - er was bijna geen ruimte meer voor de bomen.

Ik liet al die beesten vangen en de leeuwentemmer temde ze. Te beginnen met de olifanten. De olifanten had ik nodig. Ik liet een gigantisch grote wagen bouwen van het allersterkste hout. Gewone paarden konden die kar niet trekken; daar had ik olifanten voor nodig.

'Wat bent u toch van plan met die waanzinnige wagen?' vroeg Merula verwonderd.
'Daarmee vertrekken we,' zei ik. 'Volgende week.'
'Vertrekken? Waarheen?'
'Naar het noorden. Naar het paleis van de keizer. Ik ga hem vragen om mij tot baron te benoemen.'
'Maar u bent toch al baron?'
'Ja, baron van de Vogelwijk, ja. Maar weet je wat het is? De prachtige wijk Falcoburg is door mij gebouwd, en iedereen hier doet wat ik zeg. Ik, en ik alleen, ben hier de baas. Maar baron van Falcoburg ben ik nog niet. Dat ik baron wil zijn in mijn eigen wijk, is dat zo eigenaardig?'
Merula keek naar de grond en zei: 'U heeft ongetwijfeld gelijk, meneer Falco. Ik begrijp werkelijk niet waarom het belangrijk is welke titel u heeft; u heeft alles wat u zich maar wensen kunt. U heeft geld genoeg om eten te kopen voor iedereen die honger heeft, en drinken voor de dorstigen. U kunt dokters betalen om de zieken te genezen, en de wanhopigen te troosten. Al die dingen gaat u ook doen, want u bent een goed mens, dat weet ik wel. Maar waarom het nodig is om eerst baron te worden, dat snap ik niet - misschien omdat ik maar een dienstmeisje ben.'
'Ja,' zei ik, 'dat zal het zijn,' en ik liep hoofdschuddend weg. Hongerigen, dorstigen en zieken! Waar dat brave kind zich al niet druk om maakte...

Ik heb op zich niets tegen zieken, hongerigen en dorstigen. Sterker nog, ik heb eens een soldaat gehad die voortdurend

ziek was, en dat was een van mijn nuttigste mannen.
Hij leed aan een zeer besmettelijke buikloop.
Als er oorlog was, liet ik hem altijd onmiddellijk
dienst nemen in het leger van de vijand.
De vijandelijke troepen lagen dan binnen de kortste keren
met z'n allen op bed, kermend van de buikpijn en
woelend in hun eigen vuiligheid.
Het winnen van de oorlog was dan doorgaans
verrassend eenvoudig.

Het maken van de wagen duurde een paar weken. Hetzelfde gold voor het temmen van de olifanten; ook Torgos had tijd nodig voor het bedenken en bouwen van wat ik hem gevraagd had.
Ik begon me zo erg te vervelen dat ik, om de tijd te doden, daadwerkelijk de hongerigen te eten gaf en zo. Iedereen was me erg dankbaar, en noemde mij 'de Goede Baron', maar het was een ontstellend saaie bezigheid. Vooral die zieken. Het duurde soms wel maanden voordat ze weer gezond waren - elke dag ging het hen een heel klein beetje beter. Het schoot maar niet op. Alsof je naar het groeien van het gras zat te kijken.
Het enige wat me beviel aan de hele onderneming, was dat Merula me elke dag stralend aankeek, met tranen van ontroering in de ogen.
'Wat ben ik toch dankbaar,' zei ze zacht, 'dat ik het dienstmeisje mag zijn van zo'n goede, wijze, menslievende meester.'
'Dienstmeisje?' antwoordde ik. 'Ja, je bent mijn dienstmeisje, dat is waar. Maar je zou zoveel meer kunnen zijn dan alleen maar een dienstmeisje. Ik zou je willen vragen...'
Op dat moment kwam graaf Torgos binnen.

20 TWINTIGSTE HOOFDSTUK
waarin ik bij het volk zeer geliefd word

Torgos keek me kleurloos aan. 'Het is klaar,' zei hij.
'Echt waar?' riep ik opgetogen. 'Maar dat is geweldig nieuws! Fantastisch! Eindelijk! Eindelijk kunnen we vertrekken! Merula, lieve kind, zou je iets voor me willen doen? Ga onmiddellijk naar de leeuwentemmer en kijk hoever hij is met de olifanten.'
'Ja meneer,' knikte Merula. 'Maar... wat wilde u mij eigenlijk vragen?'
'Oh, iets belangrijks. Iets heel belangrijks! Iets wat je leven voor altijd zal veranderen. Het zal mooier worden dan je ooit had durven dromen. Maar dat kan wachten. Geduld, Merula, geduld is een schone zaak! Nou, vooruit, schiet op,

en geen getreuzel meer. En kijk meteen of de reuzenwagen klaar is.'
'Ja, meester.'
Ze verdween. Ik ging met Torgos naar zijn werkkamer, en hij liet me zien wat hij gemaakt had - een goocheltruc natuurlijk. Ik wilde weten hoe alles werkte, wat er mis kon gaan, en dergelijke dingen meer. Daarna oefenden we tot ik de zaak onder de knie had.
'Uitstekend!' zei ik. 'Ik ben zeer tevreden. U hebt uw goud dubbel en dwars verdiend.' Ik klapte in mijn handen en liet een goudblok halen voor graaf Torgos. 'Veel succes met het terugkopen van uw erfgoed, waarde graaf! Misschien dat we elkaar ooit nog tegenkomen, in uw paleis of het mijne.'
Torgos zei geen woord. Om zijn dunne lippen lag een misprijzende sneer, alsof hij wilde zeggen: ik ga liever dood, dan ooit nog zo'n ordinaire namaakbaron tegen te moeten komen.
Ik knikte hem beleefd goedendag.

Dat ik beleefd bleef onder Torgos' vuige blikken,
toont aan dat ik een veel edeler inborst heb dan hij.
Mijn beleefdheid is trouwens legendarisch.
Zo werd ooit mijn paleis beslopen door een roversbende.
Ik begon niet te roepen of te schelden,
maar deed hoffelijk mijn voordeur open
en geheel volgens de regels der beleefdheid
nodigde ik de heren uit voor een kopje thee.
De schurken kwamen binnen, en wat deden ze?

Ze gapten mijn dure theeservies!
En ook de zilveren theelepeltjes, en eigenlijk alles
wat ze maar te pakken konden krijgen.
't Was werkelijk zeer onbeleefd gedrag.
Natuurlijk pakte ik mijn pistolen om op hen te schieten,
want ze moeten van mijn spullen afblijven,
maar tijdens het knallen bleef ik hun voortdurend
mijn excuses aanbieden voor het ongemak
dat ik hen bezorgde. De rovers zeiden niets terug,
want ze waren zeer slecht opgevoed.
Bovendien waren ze morsdood.

Zwierig wandelde ik naar buiten. Daar stond de geweldige wagen klaar, met veertien olifanten ervoor. Ik liet hem tjokvol met goudstukken laden. Daarna liet ik nog drie koetsen komen. Een voor mij en Merula, een voor onze lakeien en eentje voor de bagage.

Alles werd ingeladen, ik liet hoogstpersoonlijk de zweep knallen, en we vertrokken.

We reisden zeer langzaam. Dat kwam door de zware olifantenwagen, die zo groot was dat hij alleen door de allerbreedste straten kon. Erbovenop zat niet alleen de leeuwentemmer, die de olifanten bestuurde. Er zaten ook twee trompetters, die op zilveren bazuinen bliezen, en een heraut die voortdurend riep: 'Hier is de stoet van baron Falco! De grote baron Falco komt eraan!'

Ook zaten er drie mooie dames in glitterjurken en struisveren, die voortdurend handenvol goudstukken gooiden naar de mensen langs de weg. De mensen juichten hun kelen schor. Ze vonden mij reuze aardig, dat was duidelijk te zien.

Het nieuws van onze komst reisde sneller dan wijzelf. De

mensen kwamen van ver om ons te zien - en om goud te graaien. We sliepen in de beste herbergen en daar wisselden de drie dames elkaar af: een sliep, een at en een gooide goud uit het raam.
De wagen was zo onvoorstelbaar groot en zo tot de rand toe gevuld, dat het negen weken duurde voor de goudstukken op waren.
'Het goud is op!' brulde de heraut, maar niemand hoorde hem, want we waren in het noorden van Duim aangeland en daar is het te koud om langs de weg te blijven staan. Zelfs als er met goud gegooid wordt.
'Mooi,' zei ik. 'Stuur als de wiedeweerga die olifanten terug naar het zuiden, voordat ze sterven van de kou. Ze hebben pegels aan hun slurven.'
De grote wagen keerde om en wij reisden verder naar het keizerlijk paleis, dat in het allerhoogste noorden van Duim ligt.

Het paleis ligt zo ontzettend noordelijk,
dat de zon er 's zomers niet ondergaat.
Dat was een ideetje van Pandion de Derde,
de grootvader van de huidige keizer -
een heel gierige man,
die wilde besparen op de kaarsen en lampolie.
Helaas had hij er niet aan gedacht dat
het de hele winter lang donker zou blijven.
Wat hij in de zomer bespaarde,
gaf hij 's winters dubbel uit.

Terwijl we door de poort van de paleistuin reden, hoorden we in de verte een woest gegrom en gebrul. Merula kroop dicht tegen mij aan en zei angstig: 'Wat is dat voor 'n monsterlijk geluid?'
'Dat,' zei ik luchtig, 'zijn de keizerlijke ijsberen. Geen beest ter wereld is zo verscheurend als zij. De leeuw, de wurgslang, de krokodil, de verschrikkelijke orka: allemaal slaan ze op de vlucht, als ze zo'n keizerlijke ijsbeer zien.'
'Wat moet de keizer met zulke afgrijselijke dieren?' huiverde Merula.
'Ze bewaken zijn paleis. Heel grondig. En oh ja, toen ik baron werd, moest ik tegen de gevaarlijkste ijsbeer vechten. Om te laten zien hoe dapper ik was.'
'Maar...' Merula trok bleek weg bij de gedachte alleen al. 'Dat is afschuwelijk! U had wel dood kunnen gaan. Ik ben blij dat uw moed nu bewezen is, en dat het niet nog een keer hoeft.'
'Wees maar niet bang, lieve kind,' glimlachte ik geruststellend. Maar in mijn hart wist ik zeker dat de keizer mij weer een gevaarlijke opdracht zou geven. Nog gevaarlijker dan de vorige keer.

21 EENENTWINTIGSTE HOOFDSTUK
waarin ik vader word

We kwamen bij het paleis van de keizer, een gebouw zo deftig en rijk, dat zelfs de schoenpoetsers er hun eigen lakeien hebben. Die hebben ook weer hun kamerheren, enzovoort, kortom er wonen heel veel mensen bij elkaar. Maar het paleis is zo immens groot dat je er soms urenlang niemand tegenkomt.
Behalve als je aanbelt, natuurlijk. Dan komt er een lakei in een livrei van konijnenbont, die je zo hooghartig aankijkt

dat je even gaat denken dat hij zelf de keizer is. Maar dat is hij niet. Hij is alleen maar de portier, en hij brengt je naar een slaapkamer, want je mag nooit meteen naar de keizer toe. Eerst moet je wachten, soms een week, soms een maand en soms een jaar, zodat je duidelijk merkt dat je maar een onbeduidend mugje bent, vergeleken met de keizer. Er zijn ook mensen die langer dan een jaar moeten wachten; vijf jaren, of tien. Er wordt zelfs gezegd dat er ergens in het paleis een mannetje logeert met een lange witte baard en ogen blind van ouderdom. Als jongetje van tien jaar is hij ooit aan komen lopen, omdat hij graag eens met de keizer wilde praten. Hij hoopt nog steeds dat hij nu bijna aan de beurt is.
Ik had geluk: de keizer kende me nog van mijn vorige bezoek, en ik mocht al na drie dagen de troonzaal in.
'Ha die Falco!' riep hij toen ik bij hem werd gebracht, en hij wilde opgetogen van zijn troon springen.
'Pas op majesteit!' riepen zijn ministers. 'Niet opspringen! Blijf zitten,' want de smaragden troon was zo hoog dat de keizer te pletter zou vallen als hij ervanaf sprong.
'Jaja, goed goed, jullie je zin. Maar ik ben blij dat die lollige Falco er weer is. Wat hebben we de vorige keer gelachen hè, met die beer! Weten jullie nog hoe de hele troonzaal in mekaar donderde?'
Ja, dat wisten de ministers nog. Maar gelachen hadden ze niet.
'Nee,' mokte de keizer, 'jullie zullen eens pret hebben. Nou, Falco, zeg het maar. Wat kan ik voor je doen?'
'Ik kom u om twee dingen vragen, majesteit,' zei ik beleefd. 'Om met het belangrijkste te beginnen: hier naast mij ziet u het meisje Merula. Zij is een bedelkind dat ik in huis heb genomen. Ik heb haar alles geleerd wat ik weet, en ik ben

erg op haar gesteld geraakt. Ze is lief, verstandig, dankbaar en gehoorzaam. Ik vind, dat zij het leven van een barones verdient.'
'Wil je met 'r trouwen, vent?' kirde de keizer. 'Oh! Wat heerlijk romantisch!' Hij pinkte zuchtend een traantje weg. 'Ik ben toch zo dol op de liefde,' snotterde hij. 'Ware liefde is altijd zo ontroerend, vinden jullie niet, ministers?'
'Heel ontroerend, majesteit,' kraakten de ministers misprijzend.
'Inderdaad,' zei ik, 'bijzonder ontroerend, maar Merula is nog geen elf jaar oud, dus trouwen vind ik... hoe zal ik 't zeggen... een belachelijk idee.'
'Oh wat heerlijk!' riep de keizer. 'Wat heerlijk eerlijk! Een belachelijk idee zegt-ie, pats recht in mijn gezicht. Weet je dat er niemand anders is, die zoiets durft? Ha! Dat soort dingen zouden jullie ook wel eens wat vaker mogen zeggen, ministertjes.' De ministers stootten elkaar aan en knikten enthousiast.
'Wat ik eigenlijk wilde vragen,' ging ik verder, 'is het volgende. Ik wil Merula adopteren als mijn dochter. Heb ik uw toestemming?'
'Mijn toestemming!' gierde de keizer. 'Hahaha! Alsof je die nodig hebt, grapjas! Horen jullie dat, ministers?'
'Wij horen het inderdaad,' zeiden de ministers droog. 'En baron Falco heeft gelijk. Een edelman heeft toestemming van de keizer nodig volgens artikel 42 sub 23 van de wet, in verband met de...'
'Jaja,' mokte de keizer, 'het zal allemaal wel. Nou, mijn toestemming heb je hoor. Hierbij verklaar ik u vader en dochter. Zo. De ministers maken de papieren wel in orde. Verder nog iets?'
'Jazeker, majesteit. Ik heb een nieuwe wijk gebouwd. Falco-

burg. Daar wil ik graag baron van worden.'
'Ongelooflijk!' riep de keizer. 'Mijn ministers zeiden al, dat het zoiets zou zijn! Jullie hadden mooi gelijk, jongens. Hebben jullie altijd, trouwens, maar het blijft me verbazen. Nou, ik vind het best hoor. Maar je moet wel poen betalen. Negen kisten met goud zeggen de ministers - dat zal dus wel kloppen. En ik vind dat je ook weer moet vechten.'
'Toch niet tegen een beer, majesteit?' riep Merula geschrokken.
'Welnee, malle meid, dat heeft-ie vorige keer al gedaan. Deze keer moet-ie tegen *twee* beren.' Hij knipte met zijn vingers. Er ging een deur open, waardoor twee gigantische ijsberen binnen werden gebracht. Ze brulden woest. Merula viel flauw.
Ik boog als een knipmes en zei: 'Uw wens is mijn bevel, majesteit.'
Ik rende naar het midden van de zaal. De ijsberen werden losgelaten en stormden woest achter mij aan. Hoewel ze met z'n tweeën waren, maakte ik me niet ongerust. Ik had zoiets al verwacht; ik was voorbereid. Als ik genoeg tijd had... Ik keek om. De monsterlijke dieren zaten mij vlak op de hielen. Schouder aan schouder renden ze, duwend en dringend om de eerste te zijn. Ze hadden allebei al een week niet gegeten. Hun tanden blikkerden in het licht van de noorderzon, dat duizendmaal weerkaatst werd in de koperen pilaren van de troonzaal.
Ik maakte een grote bocht en rende terug in de richting van de troon. Midden voor de troon bleef ik staan, tussen twee grote pilaren. Precies de goede plek.
'LET OP, MAJESTEIT!' riep ik. De ijsberen waren vlak bij me. Ik stroopte mijn mouwen op.
'IK HEB NIETS IN MIJN MOUWEN! MAAR...' Plotseling

hield ik een hoge hoed in mijn handen.
'TADAAA! EN IN DEZE HOGE HOED ZIT...' De ijsberen waren zo dichtbij, dat ik hun adem ruiken kon. Ze roken naar honger en bloed.
'NOG EEN HOGE HOED!' Ik haalde een hoed uit mijn hoed.
'EN IN ALLEBEI DEZE HOEDEN...'
De beren sperden hun muilen wijd open.
'ZIT...'
De ijsberen sprongen toe.
'EEN IJSBEER!'
'Krijg nou de pip,' schaterde de keizer. 'Waar heb je die beren zo snel gelaten?'
'In mijn hoeden, majesteit,' zei ik met een buiging. 'Precies zoals ik zei. En kijkt u eens...' Ik liet de ene hoed in de andere verdwijnen - ik wapperde met mijn handen - ook de laatste hoed was nergens meer te zien. Ik boog nogmaals. 'Is mijn voorstelling u bevallen?'

Het laten verdwijnen van twee ijsberen is
niet zo eenvoudig als het hier lijkt.
Voor deze truc had ik twee opvouwbare hoeden,
vijftien manshoge spiegels, twee valluiken
en een valse vloer nodig. Bovendien nog muilkorven, helpers,
lampen, doorzichtige doeken, vijftig kilo zoute haring,
vilten sloffen en - van cruciaal belang - een bromtol.
Dat had ik allemaal laten maken door Torgos,
die trouwens ook de hele truc had bedacht.

In de nachten voor mijn gesprek met de keizer was ik steeds
naar de troonzaal geslopen om alles klaar te zetten.
Al deze voorbereidingen hebben natuurlijk alleen zin
als je van tevoren weet dat je tegen
twee ijsberen zult moeten vechten.
Welnu: dit wist ik ook. Ik wist het omdat
ik zo slim ben, terwijl de keizer juist dom is.
Heel erg dom, bijna zwakzinnig.
Dat soort mensen is vaak onvoorspelbaar,
behalve als ze origineel proberen te zijn.
Dan komen ze altijd met de saaiste ideeën op de proppen.
Ik hoefde dus alleen maar het allersaaiste idee te bedenken
om te weten wat de keizer zou vragen.
De vorige keer een ijsbeer? Dan nu twee ijsberen!
Nounou. Tjongejonge. Gaap gaap.

'Kostelijk!' riep de keizer. 'Kostelijk, kostelijk. Het was niet wat je noemt een gevecht, maar lachen was het wel. Nietwaar, ministers?'
'Zeker, Sire,' ritselden de ministers. 'Ha ha.'
'Nou, zal ik dan maar 's een baron van hem maken? Dat zou me allemachtig veel plezier doen, hoor! 't Is toch zo'n leuke vent. Ah, toe, mag het?'
'Het mag,' zeiden de ministers. 'Als hij de negen kisten met goud betaalt.'
'Dat had ik al verwacht,' zei ik (want ook de ministers waren niet de origineelste denkers van het land). 'De kisten staan al klaar bij de schatbewaarder. En als ik jullie een tip mag geven: geef dat goud zo snel mogelijk uit. Onderweg heb ik zoveel uitgedeeld, dat het binnenkort niets meer waard is.'
'Haha,' lachte de keizer, 'goud dat niks waard is, dat bestaat toch niet! Wat een grapjas is die Falco, hè, ministers?'

‘Nou en of, Sire,’ mompelden de ministers, maar ze keken elkaar bezorgd aan. Eén stond er op van zijn krukje en schuifelde ervandoor, om snel het goud uit te gaan geven.
Twee weken lang bleef ik, samen met mijn nieuwe dochter, logeren in het paleis. Overdag kletsten we met de keizer, er waren feestjes en jachtpartijen. ’s Nachts haalde ik in het geheim de spullen voor mijn goocheltruc weg uit de troonzaal. (De geheime valluiken waren een probleem. Die konden we niet weghalen - de ijsberen zaten er nog onder. Dus de valluiken lieten we maar zitten, in de hoop dat er niet per ongeluk een keer een lakei in zou donderen.)
Toen de twee weken voorbij waren, keerden we terug naar huis. Halverwege kwam de olifantenwagen ons tegemoet, opnieuw gevuld met goud. De heraut riep om dat ik nu officieel de baron van Falcoburg was en de glitterdames strooiden goud rond met handenvol tegelijk. Maar de mensen juichten niet meer om goud. Ze hadden er al genoeg van. Ze begonnen het langzamerhand een ordinair goedje te vinden. De leeuwentemmer wilde niet eens meer goud hebben als beloning voor zijn diensten.
‘Pak maar zoveel als je wilt, hoor!’ zei ik verwonderd. ‘Het is echt goud, niks mis mee, eerlijk waar!’
‘Dat weet ik wel,’ zei de leeuwentemmer. ‘Maar als ik goud zou willen hebben zou ik alleen maar langs de weg hoeven te lopen. Dan kan ik zoveel oprapen als ik wil - niemand anders doet het.’
‘Maar ik wil je graag een beloning geven. Wil je een huis om in te wonen? Het beste, grootste, mooiste huis van de wijk? Je hoeft het maar te zeggen, hoor!’
Daar moest de leeuwentemmer hard om lachen. ‘Wat moet ik in een huis?’ hikte hij. ‘Ik ben een circusman, ik moet reizen. Nee. Als u me iets wilt geven, dan zou ik zeggen:

doe die olifanten maar. En de andere wilde dieren, die uit het oerwoud kwamen. Daar heb ik iets aan, voor mijn circus. Wilde luipaarden, apen, snuitbeesten die geen mens ooit eerder heeft gezien - daar betaalt het publiek goed geld voor. En u kunt er toch niks mee, met al die beesten.'
Hij had gelijk. Ik gaf hem met plezier alle dieren die ik had en hij vertrok als een tevreden circusbaas.
'En dat,' zei ik tegen Merula, 'was dan de laatste van mijn achtervolgers. Hop de Krukkenman, de commissaris en graaf Torgos hebben hun goud. De leeuwentemmer heeft een bende beesten. En ik heb het mooiste van allemaal! Ik heb de liefste dochter van de wereld. Dat moeten we vieren. Feest!'
'Ik ben er ook heel blij om, dat u mijn vader wilt zijn,' zei Merula oprecht. 'Maar een feest, dat hoeft van mij niet. Wie zouden we moeten uitnodigen? We hebben eigenlijk helemaal geen vrienden. De mensen van het circus, misschien. Maar die zijn ver weg.'

22 TWEEËNTWINTIGSTE HOOFDSTUK
waarin ik voor de tweede keer beroofd word

'Oh Merula,' lachte ik, 'jij bent toch echt nog maar een kind. Vrienden! Hoe kom je op het idee? Je bent nu een jonkvrouw, malle meid! We hebben goud - we hebben onderdanen - waar hebben we dan vrienden voor nodig?'
Merula keek werkelijk, alsof ze antwoord wilde geven op die vraag, maar ik luisterde niet naar haar. Ik wilde het grootste feest uit de geschiedenis van Duim organiseren en dat is veel werk, dus ik begon meteen.
Alle inwoners van Falcoburg waren uitgenodigd. Heel de

wijk werd versierd met slingers van kostbare bloemen. Alleen de allermooiste kleuren en de allerzoetste geuren waren goed genoeg. De beste koks van Duim kwamen lekkere hapjes maken. Op elk plein stond een circus, waar je gratis in mocht. In elke straat liepen muzikanten heen en weer, die ieder liedje speelden dat je maar vroeg. Ja, er waren zelfs vrolijk verklede mensen ingehuurd, die niets anders deden dan 'Hoera!' roepen, de hele dag door, om de algehele vreugde te verhogen. Er werd gedanst, gelachen, gejuicht, gespeeld en gezongen. Er was vuurwerk en er waren draaimolens en roetsjbanen en ritjes op het lieve pluizige ezeltje. Het was het grootste feest dat er ooit in Falcoburg gegeven werd.

Het was trouwens ook het enige feest
dat er ooit in Falcoburg gegeven werd.
In later jaren was er maar weinig reden
tot vrolijkheid in de wijk.
Dat kwam doordat het oerwoud was omgehakt.
Er waren geen bomen meer - dus ook geen boomwortels.
En boomwortels moet je hebben
om de gezonde grond vast te houden.
Nu er geen bomen meer waren,
werd alle goede aarde door de regen weggespoeld.
Alles wat er overbleef waren kale rotsen en zand,
waarop niets wilde groeien.
Vanaf dat moment hadden de mensen van Falcoburg
helemaal niets meer, behalve hun goud.

Maar dat kun je niet eten.
Zo veranderde Falcoburg, in drie jaar tijd,
van de rijkste wijk van Duim in de allerarmste.
De mensen zeiden dat het mijn schuld was,
omdat ik het bos had laten omhakken.
Ik geef toe dat het allemaal mijn idee geweest was,
maar daar moet je niet moeilijk over doen, vind ik.
Anders wordt alles ingewikkeld.

Op de laatste avond van het feest was er een bal in de paleistuin. Daar was een danszaal gebouwd, speciaal voor dit ene feest. De wanden waren van parelmoer, het dak was van koper en er hingen vijfhonderd kristallen kroonluchters met duizenden tinkeldingen eraan. Alle inwoners van de wijk dansten mee, en we dansten twee volle dagen achter elkaar. Daarna tolde iedereen duizelig en doodmoe zijn bed in.
Misschien dat het door die buitengewone vermoeidheid kwam, dat er die nacht niemand wakker werd.
Terwijl het toch verschrikkelijk veel lawaai gemaakt moet hebben.
Het ongelooflijke.
Het afschuwelijke.
Ik werd, voor de tweede keer in mijn leven, wakker op een kale zandvlakte.
Alles was weg.
Mijn paleis, het park eromheen, de balzaal, mijn lakeien, Merula - ja, zelfs mijn gouden gebergte was weg. Ik had niets anders over dan het nachthemd aan mijn lijf.
Het was de grootste diefstal aller tijden. Er zijn niet veel dieven die een paleis kunnen stelen. Een paleis stelen met alle mensen erin - dat lukt maar zeer weinigen. En er is er maar één die een heel gebergte kan stelen in een enkele

nacht. Mijn vroegere vriend Ekster. De Algapper. De Dief de Dieven.
Zonder nadenken tastte ik naar het achterste van mijn nachthemd. En jawel. Daar zat met een veiligheidsspeld een briefje vastgeprikt. Dit stond erop:

Hooggeachte idioot.

Je hebt het, geloof ik, nog steeds niet begrepen.
Nooit zul je baron worden.
Dat verdien je niet.
Je bent een schurk.
Je hebt mijn erfenis en mijn ouders van me afgenomen.
Dacht je echt dat ik een stuk tuig
zoals jij een lekker leventje zou gunnen?
Vergeet het maar.
De Grote Detective zal je niet helpen.
(Ja, ik weet dat je hem hebt bezocht. Ik weet alles.)
Niemand zal je helpen.
Je zult sterven van honger en armoe, in de goot,
waar je thuishoort.
Vaarwel, ellendeling!

Je vroegere vriend, Ekster.

Ik scheurde het briefje niet aan stukken. Gooide het niet woedend op de grond. Ik schreeuwde niet. Ik tierde niet. Mijn woede was niet heet als vuur. Mijn woede was ijskoud. IJs is trager dan vuur, en meedogenlozer. Het maakte mij geduldig en gevaarlijk.

Ik was nog veel kwader dan de vorige keer. Want nu had Ekster me datgene afgenomen wat mij het liefste was, liever dan mijn paleis, liever dan mijn luie leventje als baron, liever dan mijn gouden bergen of het gejuich van mijn onderdanen. Mijn dochter Merula. Daar zou Ekster voor boeten. Zeer, zeer zwaar. En als hij ook maar één haar op haar hoofd zou krenken, dan zou ik het hem duizendvoudig betaald zetten.
Ik vouwde het papiertje netjes op en stak het in de zoom van mijn nachthemd.
Langzaam begon ik te lopen. Want Ekster had ongelijk: er was iemand die me zou helpen. En het was iemand die nog beter was dan de Grote Detective.
Madame Ulula, de handlezeres die alles voorspellen kon. Zij kon me, beter dan de GD, vertellen waar ik Ekster zou vinden.
En ik wist ook waar ik háár kon vinden. Bij de Witte Kerk, had ze gezegd. Daar moest ik dus heen.
Maar de weg daarheen was lang en moeilijk. Hoe ik de Witte Kerk uiteindelijk zou bereiken, wie ik daar zou ontmoeten, hoe ik Merula terugvond, welke rol mijn oude vrienden Aegolius en Hendrik Houwdegen daarbij speelden en de omstandigheden waaronder ik mijn eigen ouders weer terug zou zien - dat alles is een lang verhaal. Nu ben ik moe en dorstig; mijn keel is droog als de woestijn.
Dus nu neem ik - voor de tweede keer - afscheid van mezelf. Van de man die ik vroeger was, die met een ijskoud brandend hart de stad in wandelde. Op zoek naar de dienstmeid die zijn dochter was geworden.

Hoe dit verder afloopt,
kun je lezen in het derde
en laatste deel: 'De vliegende baron'

* *(verwacht in 2008)*

Illustraties en vormgeving: Elly Hees

ISBN 978 90 251 1037 6
NUR 283